MW00987785

Valérie Zenatti est née à Nice en 1970. Romancière, scénariste, elle a signé l'adaptation de son roman *Une bouteille dans la mer de Gaza*. Elle est également la traductrice d'Aharon Appelfeld en France.

Jacob, Jacob a été couronné par de nombreux prix :

Prix de l'ADELF 2014

Prix Gabrielle-d'Estrées 2015

Prix Méditerranée 2015

Prix Libraires en Seine 2015

Prix de la librairie Millepages 2015

Prix de la librairie L'Usage du Monde 2015

Prix du Livre Azur du département
des Alpes-Maritimes 2015

Prix du Livre Inter 2015

Valérie Zenatti

JACOB, JACOB

ROMAN

Éditions de l'Olivier

TEXTE INTÉGRAL

ISBN 978-2-7578-5487-7
(ISBN 978-2-8236-0165-7, 1re publication)

Oh ! oui, c'était ainsi, la vie de cet enfant avait été ainsi, la vie avait été ainsi dans l'île pauvre du quartier, liée par la nécessité toute nue, au milieu d'une famille infirme et ignorante, avec son jeune sang grondant, un appétit dévorant de la vie, l'intelligence farouche et avide, et tout au long un délire de joie coupé par les brusques coups d'arrêt que lui infligeait un monde inconnu.

Albert Camus, *Le Premier Homme*

I

Un désir confus et violent l'a mené là, au sommet de la montagne rocheuse, dans la poussière maculée de fientes d'oiseaux, parmi les cèdres et les cyprès noirs qui accrochent le regard, le retiennent une poignée de secondes avant de le libérer vers la plaine écrasée de soleil. À cette distance, les cascades paraissent immobiles, voiles mousseux peints dans l'unique but de souligner les saignées qui courent le long des gorges. En surplomb, les falaises accueillent dans leurs flancs des massifs de figues de Barbarie, puis s'élèvent dans une nudité totale : la roche a été brusquement coupée ici par une lame mystérieuse et s'étage en tranches brunes. Encore un mouvement du visage, et ses yeux distinguent le pont. Trait d'union solide suspendu entre deux pylônes de pierre blanche, il confère à la ville son caractère de forteresse, la reliant à l'hôpital et, un peu plus loin, à la gare, au monument aux morts et au cimetière.

Jacob jette un coup d'œil à la montre reçue pour ses treize ans. Portée au poignet, elle lui donne une allure plus dégagée que les montres de gousset de ses aînés imposant la lenteur, un arrêt pour être sorties de la poche, alors que lui peut consulter la sienne d'un bref regard. Six ans que les aiguilles marquent le temps pour lui, la trotteuse est agaçante et fascinante, toujours trop pressée, accélérant le temps quand lui voudrait le retenir, Jacob rêve, souvent, il pense au premier jour où il a traversé le pont suspendu avec Abraham, ce n'était peut-être pas la première fois d'ailleurs, mais c'est le premier souvenir qu'il en a. Il s'était arrêté pour regarder en bas, son frère l'avait tiré par la manche, viens, c'est dangereux, ne te penche pas, mais il s'était senti absorbé par le vide sous lui, minuscule et puissant, il dominait la ville et les gorges, c'était grisant d'être *au-dessus*, lui qui d'ordinaire devait lever la tête s'il voulait voir autre chose que les genoux des adultes, les pieds des tables et les éclaboussures maculant les murs dans la rue ; il avait tendu les bras pour toucher le ciel, découvert la peur délicieuse qui étreignait tous ceux qui passaient sur le pont, si extraordinaire qu'il fallait quatre noms pour le désigner, le pont suspendu, le pont Sidi M'cid, le pont du Rhumel, la passerelle des vertiges.

Il frissonne, tourne le dos à la plaine qu'il lui a suffi de regarder pour la sentir sous ses pieds, hésite entre dévaler la pente ou marcher lentement en longeant l'hôpital, franchir le pont d'un pas délié, y marquer une pause, étirer le temps, faire entrer en lui chaque parcelle du paysage, même s'il sait qu'il ne pourra jamais le contenir tout entier. Il s'y est déjà essayé, il le fixe puis ferme les yeux, tente de se souvenir de ce qu'il a capturé mais un détail toujours lui échappe, et puis le paysage n'est jamais le même, quoi qu'on en pense, la lumière s'ingénie à peindre les pierres dans des teintes allant de l'argent au noir, et les jours où le ciel détrempé se remet à peine de l'orage, une lumière dorée éclabousse les falaises.

Les visions qui se bousculent en lui le remplissent d'une excitation presque insupportable, la beauté grave du lieu dilate sa poitrine, il court sur la passerelle métallique en direction du pylône ouest, un camion passe en soulevant sous ses roues un vacarme de tôle entrechoquée, transmettant un deuxième frisson à Jacob, qui descend vers la ville, foulées régulières accordées à sa respiration, les mots martèlent ses tempes, quand les résultats, du baccalauréat, arriveront, je serai, déjà, parti, l'entraînement, les classes, ils appellent ça, les classes, à dix-huit ans, on passe, d'une classe aux classes, mais ça n'a rien à voir, plus jamais, assis, à écouter monsieur Baumert, lire Hugo, Balzac, Flaubert, plus jamais, le latin, dominus, domine, dominum, domini, domino, domino, le latin, comme un jeu, comme une langue qui s'amuse, qui étonne mon père, fait sourire ma mère, à quoi ça sert le latin, à être instruit, à comprendre le français, autrement, il est la loupe, qui permet de distinguer, les subtilités de la langue, dit monsieur Baumert, il est le soleil, qui fait miroiter, les éclats de la langue, il est une autre façon, de dire le monde, que l'arabe, la langue de ma mère, la langue de mon père, que le français, la langue venue parler ici, depuis bientôt cent ans, la langue du Nord qui a décidé, de se mêler, à la langue du Sud, conjugaisons si compliquées, futur antérieur, imparfait du subjonctif, temps si peu maîtrisés par les habitants des ruelles étroites du quartier juif et arabe surpeuplé où Jacob se cogne à présent aux femmes qui hésitent entre dix tissus pour recouvrir un fauteuil, coudre des robes de fiançailles, des rideaux, satin ou coton ? unis ou brodés d'or ? il bouscule les cordonniers les plus pauvres qui n'ont d'autre échoppe que leur valise ouverte sur une table, leurs outils alignés près d'une montagne de talons, ils réparent les souliers vite et pour pas cher, leurs cris se perdent un peu plus loin, assourdis par les sacs en toile de jute qui abritent des kilos d'épices, paprika, cannelle, cumin, piment, curcuma, poudre de rose, grains de carvi, de coriandre, clous de girofle, nigelle, menthe séchée réveillent la faim dans le ventre de Jacob, il se faufile entre les clients qui sortent lentement des bijouteries, on ne va pas une seule fois dans une bijouterie mais cinq ou six, on soupèse, on réfléchit, le bijou à offrir est-il trop lourd ou pas assez ? témoigne-t-il d'une richesse coupable, enviée, ou d'une radinerie ? Jacob arrache sur son passage des lambeaux de conversations qui lui permettent de deviner les affres des futurs acquéreurs, traverse au pas de course la rue de France, artère principale du quartier, fière de son Monoprix et de ses Galeries parisiennes, il rejoint la rue en pente jusqu'au 15, rue du 26e de Ligne, où Lucette, occupée à étendre le linge sur la terrasse d'en face est alertée par quelque chose, un mouvement dans les airs, une ombre qui se déplace de mur en mur, tel Peter Pan, elle a tout juste le temps de se pencher au-dessus de la balustrade pour voir Jacob s'engouffrer dans l'immeuble, elle veut immobiliser dans ses yeux la silhouette, pantalon gris et chemise blanche, les cheveux épais dans lesquels elle rêve de passer la main pour les coiffer, les décoiffer, la nuque sur laquelle elle voudrait déposer un baiser, Lucette rêve aussi, souvent, tandis que Jacob grimpe les escaliers quatre à quatre, ouvre la porte au deuxième étage et bouscule Madeleine, sa belle-sœur, en train de ranger la vaisselle dans le buffet collé à l'entrée, fracas des assiettes, la plus grande s'écrase au sol en morceaux, une autre s'éloigne vers la cuisine en tournoyant comme une toupie, hésite sur la rainure d'un carreau, vacille puis tressaute à plat, Madeleine contemple les débris de faïence, son menton tremble, elle porte les mains à son ventre où deux cœurs battent, s'affolent de sentir la tension qui a envahi l'habitacle, je suis désolé, dit Jacob, pardon, et il se baisse pour ramasser les débris, non, ce n'est pas à toi de le faire, mon fils, dit Rachel qui a accouru, et d'un regard bref elle indique à Madeleine de nettoyer les dégâts, et plus vite que ça, il est sept heures et demie, les hommes vont bientôt rentrer.

Dans un coin de la pièce, Fanny et Camille, les petites de Madeleine, jouent avec deux lacets. L'aînée forme des figures que la cadette doit reproduire. Cercle, carré, triangle, une tête, une maison, un sapin comme celui dessiné dans le livre de l'école. L'aînée s'applique, la cadette est plus distraite, elle a levé la tête au vacarme de l'assiette brisée, elle a vu les yeux de sa mère briller trop vivement avant qu'elle ploie son grand corps lourd et s'écorche la paume de la main à un éclat de faïence, les joues de Camille s'enflamment, elle bondit pour l'aider, Madeleine dit, non, tu vas te couper, laisse-moi faire, va jouer avec ta sœur, mais Camille insiste, c'est plus amusant d'être associée aux grands, plus intéressant que de suivre les gestes appliqués de Fanny, elle saisit de ses doigts potelés les éclats inégaux et blancs qu'elle empile sur le plus grand, on croirait une construction de sucre glace, elle résiste à l'envie de porter un morceau à sa bouche pour le croquer, le souffle chaud et saccadé de sa mère emplit son oreille, elle n'ose regarder le visage congestionné par l'effort, se penche vers le ventre énorme où on lui a dit que deux bébés grandissaient, elle se demande s'ils se battent parfois, se flanquent des coups pour avoir la meilleure place. Quand ils seront là, elle cessera d'être la plus petite, on ne lui dira plus, baisse les yeux quand tu parles à un adulte, mais si, on le lui dira puisque même sa mère baisse les yeux quand elle s'adresse à son mari ou à son beau-père, et sa voix se strie alors de filaments rauques qui intriguent et attristent Camille. Viens, lui dit Jacob, je vais t'apprendre à voler, et il s'allonge sur le dos à même le sol, plie ses jambes pour accueillir le ventre de la petite qui s'enfonce doucement dans ses genoux, puis il saisit ses poignets et pointe brusquement ses pieds vers le plafond pour la propulser en l'air en criant l'avion décolle, et ses lèvres vrombissent, l'avion vole, et sa voix module des sons sifflants, attention il y a une tempête, et ses jambes battent dans les airs pour faire tressauter Camille qui n'en peut plus de rire. Rachel fait une petite grimace, Jacob n'a plus l'âge de ces jeux, il vient d'avoir dix-neuf ans, mais allongé ainsi sur le carrelage du salon il a l'air d'un gosse, il risque un tour de reins, il ne pourra pas partir à l'armée. Elle ferre l'idée qui l'a traversée, l'isole du flot de ses pensées, la contemple. Un tour de reins, finalement, ce serait bien. Jacob ne partirait pas. Qui sait ce qu'ils vont faire de lui là-bas, où vont-ils l'envoyer, un tour de reins et il serait réformé, comme Abraham naguère, pour des raisons de santé que personne n'avait pris la peine de leur expliquer, il resterait à la maison près d'elle, son petit, son dernier, quelques années encore dans la tiédeur de ses ailes avant qu'une femme s'empare de lui, elle aura intérêt à l'aimer, à le choyer, encore, encore, crie Camille sans remarquer que Fanny la fixe d'un regard amer, sourcils fournis froncés, elle aimerait bien décoller elle aussi, se sentir détachée du monde et survoler Jacob, heureux de voir les traits de sa nièce se plisser de peur feinte et de plaisir réel, joyeux du pouvoir aérien qui lui est soudain conféré, encore, encore, s'égosille Camille, mais,

des pas lourds dans l'escalier intiment aux femmes d'accélérer leurs gestes et à Jacob de reprendre une position décente, il improvise un atterrissage forcé et se redresse en faisant semblant de chercher quelque chose dans la poche de son pantalon. La porte s'ouvre sur Haïm et Abraham. Mêmes cheveux bruns coupés court, même regard sévère, même moustache aux pointes fièrement relevées et pourtant si différents, le père est épais, il s'est élargi au fil des années comme le tronc d'un arbre, soixante-trois couches de graisse indiquent son âge, la pièce rétrécit dès son entrée, et s'assombrit aussi, son fils aîné quant à lui est frêle, ses traits délicats d'homme de quarante ans évoquent une beauté possible, envisageable, n'étaient cette mine préoccupée qui les durcit et l'entaille douloureuse au coin des yeux. Ils rentrent de la cordonnerie rue Richepanse, la journée a été mauvaise, les clients, appauvris par les répercussions de la guerre, ont privilégié les cordonniers à la sauvette plutôt que deux vrais artisans qui prennent le temps de coudre le cuir sans le fragiliser, sans le casser, heureusement la soupe est prête, les effluves de viande bouillie, de cumin, de tomate et de coriandre les détendent un peu. Madeleine les débarrasse de leur veste, ils tiennent, c'est l'élégance des pauvres, à en porter une même lorsqu'il fait chaud. Elle leur tend un broc et une bassine, ils se lavent les mains, s'installent à table avec Jacob et Rachel, les petites attendent leur bol, assises sur des gros coussins où les rejoindra leur mère. Madeleine sait qu'elle doit servir aux hommes le haut de la marmite, le bouillon y est plus gras, plus goûteux, elle ajoute un morceau de viande à chacun, le quatrième sera pour Rachel, elle et ses enfants se contenteront du bouillon clair, avec un peu de chance un minuscule morceau de viande se sera perdu au fond de la marmite, elle pourra le réserver pour son grand garçon, Gabriel, mais où est donc Gabriel, demande Haïm de sa voix qui gronde.

Tous les regards se tournent vers Madeleine. Elle secoue la tête en fixant la marmite comme si elle espérait s'y noyer. Abraham tape du poing sur la table et pousse un juron qui, à travers Gabriel, insulte sa femme dans son intimité et sa maternité. Le rouge monte aux joues de Madeleine, gagne son front, jamais son père n'a parlé ainsi à sa mère, encore moins devant témoins, et la pensée de ses parents, le père mort, la mère à des centaines de kilomètres, lui serre la gorge, dans une crispation devenue familière depuis dix ans, elle appelle ça le *ouahch*, elle ne connaît pas de mot en français pour dire la tristesse liée au manque.

Rachel se lamente, *ya rabbi sidi*, où est encore passé ce garçon ? Huit ans à peine et déjà un voyou qui traîne n'importe où. Jacob dit qu'il l'a vu partir faire ses devoirs chez son copain Maurice. Il ment. C'est la fin de l'année, les maîtres ne donnent plus de devoirs, mais les deux cordonniers ne relèvent pas, l'école demeure un monde opaque pour eux, indéchiffrable, ils savent uniquement que les professeurs ont de l'instruction et que cela leur offre une forme de suprématie, ils s'expriment vite avec des mots incompréhensibles et portent sur leur visage le masque des gens sûrs d'eux, ils peuvent se permettre de sourire, de rester calme, le pouvoir est de leur côté, la maîtresse de Fanny a ainsi décidé que la petite redoublerait parce qu'il y avait des taches de gras sur un livre prêté par l'école. Camille avait voulu le feuilleter après avoir mangé des gâteaux, elle ne s'était pas lavé les mains, pressée de regarder les images. Quand Madeleine s'en était aperçue, elle avait tenté en vain d'éponger le gras, versé du sel sur les pages souillées, maintenu le livre ouvert au-dessus du poêle, rien n'y avait fait, Fanny redoublera malgré ses bonnes notes, malgré son sérieux et sa docilité qui tranchent tant avec la fronde de Gabriel, Abraham et Haïm soupirent. Ils veulent manger tranquilles, s'abandonner à la chaleur de la soupe, au tabac qu'ils rouleront bientôt en grosses cigarettes brunes, peut-être aussi à l'alcool de prune rapporté par un client de la métropole avant-guerre, une bouteille longue et fine comme le cou d'un cygne, sanctifiée parce que venue de loin. Haïm l'extirpe du buffet deux fois par an, pour la nouvelle année juive et lors d'un événement exceptionnel, ce soir c'en est un, le départ à l'armée de Jacob, mais cet enchaînement parfait – la soupe, le tabac, l'alcool – est rompu par l'absence de Gabriel, il faut bien que quelqu'un aille le chercher, ce gosse. Jacob se lève, Rachel proteste, tu pars demain, tu as droit à un dernier repas chaud, qui sait ce qu'on va te donner à manger là-bas, et puis j'ai acheté des pêches pour le dessert, des belles pêches chères et juteuses, il ne faut pas couper la digestion en plein milieu comme ça, tu vas mal dormir, mais Jacob la repousse affectueusement et part à la recherche de Gabriel, son neveu en âge d'être son petit frère. Au début du printemps, Jacob lui a appris à faire des ricochets dans la piscine naturelle de Sidi M'cid. À quoi ça sert de faire sauter une pierre sur l'eau ? avait demandé Gabriel. À rien, lui avait répondu Jacob, mais si tu tiens la pierre assez longtemps dans ta main, si tu la serres pour sentir ses deux faces lisses entrer dans ta chair, elle fait un peu partie de toi et quand elle bondit sur l'eau, c'est comme si toi, tu avais ce pouvoir, tu sais que les catholiques, ils disent que Jésus a marché sur l'eau, c'est drôle hein, et Gabriel avait aussitôt entrepris de choisir les meilleurs cailloux. Les premiers avaient coulé lamentablement. C'est pas grave, tu y arriveras la prochaine fois, avait dit Jacob, personne ne réussit du premier coup, mais Gabriel avait poursuivi ses lancers, refusant de renoncer, toute la volonté de ses huit ans concentrée dans son regard et son bras. Il voulait éprouver ce dont Jacob lui avait parlé, il voulait courir sur l'eau et au trentième essai, ou peut-être était-ce le cinquantième, il y était parvenu, la pierre s'était transformée en grenouille bondissante, trouant la surface plane de l'eau à quatre reprises, bravo, avait crié Jacob, tu es un champion, et un sourire fier avait éclairé le visage de Gabriel.

Les pas de Jacob découpent le silence dans les ruelles aux stores descendus, les vendeurs à la sauvette se sont volatilisés, plus aucune trace de vie, derrière les volets les familles sont regroupées autour des tables, un air frais et sec a pris possession de la ville où le soleil cogne déjà violemment en ce début d'été, mais les températures dégringolent dans la nuit, elles peuvent chuter de vingt degrés, parfois plus. Jacob sait que seul le hasard, qu'on nomme chance ou malchance selon les jours, lui permettra de trouver Gabriel, mais il le cherche tout de même jusqu'à la place Négrier où des gamins jouent quelquefois au football en face de la synagogue. Il n'y a pas si longtemps, quatre ans peut-être, lui aussi courait ici derrière un ballon, faisait des passes à ses copains, tentait de marquer des buts entre deux vestes posées par terre, levait le poing droit en l'air quand il y arrivait, baissait la tête en la secouant quand il ratait son tir, échangeait des claques avec ses camarades sans sourire, ou alors à peine, en se donnant des airs d'homme, jusqu'au jour où il avait cessé de jouer, il ignorait sur le moment qu'il n'y aurait plus jamais de prochaine fois, il ne s'était rien produit de particulier, le plaisir avait disparu, arraché d'un coup sec à son corps d'adolescent, il s'interroge, qu'est-ce qui est important pour moi aujourd'hui et ne le sera plus dans quatre ans, les études peut-être. Monsieur Baumert le pousse à en faire, il lui dit qu'avec une telle aisance en français, de si bons résultats en histoire, il pourrait devenir professeur lui aussi, ou peut-être rédacteur dans un journal, ou encore passer un concours et travailler dans l'administration. Jacob ne sait pas s'il est possible d'être si différent de ses parents et de ses frères. Abraham cordonnier comme le père, Isaac employé dans une épicerie, Alfred faisant des affaires à Alger, personne ne sait lesquelles, personne ne comprend de quoi il vit, il vient de temps en temps, sort d'un geste de magicien une liasse de billets qu'il pose sur la table, étale ses jambes, croise ses mains derrière la nuque, faussement désinvolte, et toise Abraham pour le poignarder en silence, c'est pourtant lui le frère aîné, lui qui a la première place, la plus respectable, mais c'est peut-être justement pour ça qu'Alfred éprouve le besoin de l'humilier. Regarde les billets que je donne aux parents, je ne les compte même pas, je les sors de ma poche comme des piécettes dont on se débarrasse. Jacob ne sait plus comment il en est arrivé à penser à ses frères. Le mot n'évoque pour lui ni jeux, ni bagarres, ni mauvais coups fomentés ensemble, ni complicité, dix-neuf ans de différence avec Abraham, dix-sept avec Isaac, treize avec Alfred ont fait de ses frères des sortes d'oncles, adultes au visage sévère, préoccupés par leur survie quotidienne et leur réputation bien plus que par un enfant, car pour eux, il est resté un enfant, à l'instar de Gabriel dont il se sent plus proche que de ses frères, Gabriel qui n'est pas place Négrier. Un vautour survole la ville en criant une menace, Jacob lève la tête, distingue l'ombre noire et laide de l'oiseau qui monte vers le grand rocher, un goût amer envahit sa bouche, il crache par terre, le goût persiste, diffuse dans sa poitrine des effluves âcres d'angoisse, il fait demi-tour en courant, pressé soudain de rentrer à l'appartement étouffant pour noyer l'amertume dans la soupe chaude et peut-être y dissoudre l'anxiété subite qui, il le sent, aurait le pouvoir de le transformer en statue de pierre s'il s'y abandonnait.

Il secoue la tête avant de se rasseoir à table où son assiette fumante a réapparu comme sous l'effet d'un sortilège, Madeleine n'a pas eu besoin du regard de Rachel pour mettre l'assiette au chaud en attendant son retour, et la servir de nouveau très vite, dès la porte ouverte. Les traits de Haïm et d'Abraham sont verrouillés. Jacob voudrait les détendre, il lui arrive de raconter des histoires qui déclenchent l'hilarité de sa famille, il imite parfois ses camarades de classe ou ses professeurs, sa mère rit de bon cœur quand il prend l'accent pointu pour la vouvoyer comme dans le grand monde, Mère, voulez-vous me dire où est rangé mon pantalon, s'il vous plaît ? et chaque fois les rides de Rachel se plissent sur ses joues, il se tourne alors vers Madeleine pour lui faire un baisemain, et vous, ma belle-sœur, avez-vous passé une bonne journée ? et une rougeur teinte le front de Madeleine. Par la grâce des mots de Jacob, du ton distingué qui les sculpte, des gestes souples qui les accompagnent, l'appartement se transforme en château de Versailles et les deux femmes sont fascinées par la lumière qui inonde subitement la pièce, elles entrevoient une vie chimérique où les hommes parleraient aux femmes comme à des êtres précieux, dignes de respect et d'amour, Jacob pourrait insuffler ça dans la pièce, une bouffée de rire et de délicatesse qui ôterait aux visages des siens leur peau de crainte ou de colère, mais ce soir, lui aussi a envie de silence, et tant pis si celui-ci a une consistance boueuse.

Les fillettes inclinent leur bol pour boire la soupe jusqu'à la dernière goutte, elles ont encore faim mais ne disent rien, Fanny garde les yeux baissés, Camille jette des coups d'œil envieux vers les assiettes des hommes et de Rachel, qui se sont resservis. Madeleine partage son bol entre elles, non, vraiment mes filles, je n'ai plus faim, j'ai assez mangé comme ça, chuchote-t-elle, tandis que quelques gouttes du liquide éclaboussent le tissu du coussin. Elle se retourne vivement vers la table, mais personne, à part Jacob, n'a remarqué quoi que ce soit car des pas vifs d'enfant résonnent dans l'escalier, la porte s'ouvre, Haïm et Abraham se redressent, où étais-tu, ils n'attendent pas la réponse qui ne viendra pas, Gabriel a les poings serrés, le front buté, et une lueur dans ses yeux francs qui dit à son grand-père et à son père, je me fiche de ce que vous espérez de moi, je me fiche de votre autorité, j'aime être partout ailleurs plutôt qu'ici, vous ne pouvez pas m'en empêcher, et déjà les deux mains des cordonniers s'abattent sur ses bras, Madeleine leur lance un regard suppliant qu'ils ignorent, elle se tourne vers Rachel qui affiche une mine lasse et impuissante, Jacob continue de boire sa soupe, sa jambe gauche tressaute sous la table. Deux djinns volubiles s'agitent dans sa tête comme des flammes et luttent pour avoir le dernier mot, allez, lève-toi, c'est ton dernier soir ici, ils ne te feront rien, dis-leur que ce n'est pas comme cela que l'on traite un enfant. Les coups, pour l'instant il les prend, mais bientôt il les rendra. L'autre djinn, prudent, oblige Jacob à baisser les yeux sur son assiette. N'y va pas. Ça ne sert à rien. Ils le lâcheront peut-être ce soir mais lui flanqueront le double de coups demain, et tu ne seras plus là pour le défendre. Reste tranquille, ne provoque pas une dispute inutile, tu es pressé d'aller te coucher, de tendre l'oreille vers les pensées nocturnes qui éclosent telles des fleurs aux pétales larges et violets à la faveur de l'obscurité, tu ne veux pas des cris de ton père, des larmes de Madeleine dont la gorge étranglée ne laisse passer aucun son, elle a détourné les yeux elle aussi, résignée, ce serait terrible de lui offrir un espoir et de savoir que demain, en ton absence, elle souffrira plus encore. Et Jacob écoute cette dernière voix tout en se maudissant de ne pas oser proposer ne serait-ce qu'un soutien discret à son neveu, et quand il tourne enfin la tête vers la porte il est trop tard, Abraham et Haïm poussent Gabriel dans le couloir, descendent les escaliers que le garçon vient tout juste de gravir de ses petites jambes musclées, à la cave, ils l'entraînent à la cave. Haïm le plaque contre une échelle, Abraham l'attache avec une corde, ça te fera passer l'envie de traîner comme un voyou, ils le maintiennent avec une force galvanisée par la colère froide, la manche de sa chemise se déchire, l'enfant sent une boule de larmes se former dans la gorge en songeant à sa mère qui devra repriser l'accroc, il mord ses lèvres jusqu'au sang, compte les coups de ceinture qui s'abattent sur son dos, un, deux, trois, jusqu'à dix, seulement dix ce soir, ils sont pressés de remonter pour boire, Gabriel ne peut voir qui décharge sur lui son plaisir douloureux et sa rage, son père ou son grand-père, ils tournent les talons et claquent la porte derrière eux. Un rat frôle sa jambe. Il ne crie pas, fixe un point dans le noir de la cave, ses yeux sont des balles et le point, son grand-père, il tire sur lui des rafales entières, puis mitraille son père jusqu'à ce que ses yeux écarquillés se fatiguent tant qu'il ne sait plus s'ils sont ouverts ou fermés, s'il dort ou est éveillé, quelle importance de toute façon, dans l'obscurité de la cave, réalité et cauchemar se confondent.

À l'étage, Madeleine s'affaire, aidée des petites, elle débarrasse la table qu'ils pousseront bientôt pour dérouler les matelas des filles, celui de Jacob et celui qu'elle partage avec Abraham. Les hommes fument en sirotant l'alcool de prune dans des verres minuscules, Camille est fascinée par les reflets dansant entre le cristal et le liquide transparent, on croirait du feu dans l'eau, elle voudrait le dire à Jacob, il lui expliquerait peut-être comment c'est possible, mais la voix forte de Haïm interdit toute tentative de parole, il ouvre une bouteille de vin en plus de la prune, échange avec ses fils des propos sur l'expérience que le benjamin s'apprête à vivre. L'armée, elle transforme les poules mouillées en lions, dit-il en pressant l'épaule de Jacob dans sa large main, les enfants en hommes, ajoute-t-il en ponctuant sa phrase d'une deuxième pression, on y apprend la vie, conclut Abraham, les yeux voilés de regret. Dans ces phrases, il y a l'écho de celles prononcées quand Isaac est parti faire son service, quand Alfred l'a suivi, les deux frères placés entre Abraham et Jacob en sont revenus tels qu'ils avaient toujours été, ni plus courageux ni moins menteurs, ni plus généreux ni moins vantards, un peu plus velus peut-être, la barbe plus fournie parce qu'ils avaient été obligés de se raser tous les jours.

Rachel enveloppe Jacob d'un regard qu'elle voudrait fier mais ses paupières trop mobiles dévoilent son inquiétude. Cinq ans que la guerre gronde en Europe. Les Américains viennent de débarquer en Normandie, la radio raconte tous les jours la progression des Alliés, les victoires se succèdent, Rachel se doute qu'on tait les morts et les blessés, personne ne s'intéresse aux mères de ces enfants, son cœur se fige douloureusement quand elle pense, ils vont peut-être l'envoyer en Normandie. Elle lui épluche une pêche en se forçant à sourire, la tranche en quartiers tendres scintillant d'un jus qui coule sur les doigts de son fils. Madeleine garde les lèvres scellées, mais personne ne lui demande non plus de parler, elle aussi est soucieuse, le départ de Jacob signifie la perte du seul être tendre et gai dans cette maison, son beau-frère qu'elle aime comme un fils sans s'avouer qu'elle aurait pu l'aimer autrement. Elle couche les petites sur leur matelas, allez, dormez maintenant. Fanny cale son visage émacié dans le creux de son coude et ferme les yeux aussitôt, elle commence toujours par faire semblant de dormir avant de s'enfoncer dans le sommeil, parfois ça dure longtemps mais les adultes sont contents, ils disent à sa sœur, regarde Fanny, elle est facile, elle s'endort tout de suite sans faire de comédie. Camille retient sa mère. Attends, il faut que je te dise quelque chose. Madeleine soupire, elle a hâte de s'allonger, chaque seconde retardant son repos est une goutte de plomb qui lui vrille le crâne. Quoi, qu'est-ce que tu veux ? Moi aussi on me mettra à la cave si je suis méchante ? voudrait demander Camille rendue muette par l'éclair de détresse dans les yeux de sa mère, alors elle murmure, non, rien, j'ai oublié. Madeleine n'insiste pas et se relève pour faire la vaisselle. D'abord les trois verres des hommes, puis ses mains glissent sur les assiettes en gestes las mais précis, elle traque les traces de gras, signe d'infamie pour les femmes à qui la responsabilité de la propreté incombe, déclencheur de colère pour les hommes chargés de veiller au bon ordre du monde. Le fond de la marmite a attaché, elle le frotte en transmettant à ses mains les dernières forces de la journée, une tache résiste, petit amas marron et rugueux dont elle vient à bout en soumettant la marmite à une pression encore plus vive, le récipient étincelle enfin, elle est fière de sa méticulosité, jamais il ne sera dit que Madeleine renonce face à une tache. Rachel lance un coup d'œil satisfait aux ustensiles, elle enveloppe des biscuits salés dans un torchon qu'elle tend à Jacob, tiens, prends, j'en ai déjà trop, dit Jacob, tu m'as donné à manger pour six mois. Mais non, regarde, il y a encore une petite place ici. Elle fourre le paquet entre les tricots et les chaussettes, et la valise de Jacob est pleine à craquer. Madeleine aide à la refermer en pesant dessus de tout son poids avant de s'effondrer sur le matelas où Abraham la rejoint bientôt, il ne la touche pas lorsqu'elle est enceinte, elle a au moins la paix de ce côté-là, mais dans son ventre les petits corps s'agitent, intrigués par l'immobilité soudaine de l'habitacle, ils ondulent et s'étirent comme s'ils voulaient en prendre entièrement possession. Elle refuse de songer aux deux bébés qui sollicitent son attention, ils n'ont pas besoin d'elle, sont aussi insignifiants que des chatons aveugles, alors que la vision de Gabriel dans la cave avec les rats a envahi son esprit, elle devine ce que Haïm et Abraham ont fait, elle sait qu'ils n'y pensent même plus, des larmes silencieuses coulent sur ses joues, elle pleure parfaitement sans bruit, ça fait onze ans qu'elle s'entraîne.

Allongé sur son matelas, Jacob sait que Madeleine pleure, précisément parce qu'elle respire sans bruit. Demain, d'autres souffles remplaceront ceux des enfants, réguliers et légers, et les expirations profondes de son frère qui semble vouloir affirmer, même dans son sommeil, une puissance qui n'est pas la sienne. Jacob ne sera plus réveillé par Camille quand elle se redresse soudain, traverse la chambre droit vers la porte d'entrée, secoue la poignée, prononce une suite de paroles incompréhensibles d'un air têtu, les yeux écarquillés comme si la pièce s'était subitement transformée en un gouffre où s'agitent des ombres endiablées, Camille qui insiste, parlemente avec la porte jusqu'à ce que Jacob ou Madeleine la prenne par la main et la reconduise vers le matelas en lui assurant que tout va bien, que c'est la nuit et qu'il faut dormir. Parfois elle se débat et Madeleine est terrifiée à l'idée que les autres se réveillent mais cette nuit-là, Jacob ne dort pas, c'est lui qui bondit à la suite de Camille dès l'effleurement de ses petits pieds potelés sur le carrelage, elle secoue la tête avec toute la gravité de ses quatre ans, refuse de retourner sur le matelas près de Fanny, alors il la prend sur le sien en chuchotant à son oreille, on va se rendormir et demain on montera dans un avion, on sera dans le ciel, haut, très haut, on verra les gens en bas, petits comme des sauterelles, peut-être même comme des fourmis. Camille est captivée par le mouvement de l'avion qu'elle voit voler dans la chambre, elle se hisse sur une aile, l'appareil tourbillonne lentement et la reconduit dans le sommeil. Jacob respire son odeur de lait et de cannelle, et la pensée le traverse, fulgurante, un éclair qui l'illumine entièrement de l'intérieur, comme la révélation d'une possibilité inimaginable quelques secondes plus tôt : un jour il sera père et il aura pour ses enfants les gestes que son père n'a jamais eus pour lui, il sent qu'il les contient dans ses muscles, condensés là à l'insu de tous, dans ses bras qui entourent Camille, dont le souffle enfin régulier caresse sa joue.

Malgré elle, les larmes barrent le visage de Rachel à la vue de Jacob franchissant la porte de l'appartement. Elle le retient, l'asperge d'eau de fleur d'oranger, pose son bracelet en or et quelques louis à la lisière du palier, y verse de l'eau. Marche sur l'or mouillé, Jacob, ma vie, sors et rentre, tu nous reviendras en bonne santé, que Dieu te protège. Jacob s'exécute de bonne grâce, même s'il a du mal à croire à ces histoires de protection divine mêlée à l'eau et à l'or. Il embrasse Madeleine, Camille et Fanny, ébouriffe les cheveux de Gabriel qu'on a remonté de la cave pour l'occasion et lui adresse un clin d'œil. Sois sage, quand je rentrerai, on ira escalader ensemble les rochers du Rhumel, en attendant, tiens ça, et il glisse dans sa main un caillou plat, incroyablement lisse, donne une accolade à son frère, à son père, j'enverrai des nouvelles, je reviendrai vite en permission, ne vous inquiétez pas pour moi.

La tête tendue vers le bout de la rue comme si elle attendait quelqu'un d'autre, Lucette le guette du coin de l'œil. Jacob la dépasse rapidement, pressé d'être à la caserne, de plonger dans sa nouvelle vie puisqu'il doit en être ainsi. Il est curieux de découvrir ce qu'elle lui réserve, impatient de poser la valise qui pèse déjà au bout de son bras. Lucette est déçue, il ne l'a même pas cherchée du regard, alors que d'habitude, le matin, ils échangent un sourire. Elle prend son courage à deux mains et s'élance pour le rattraper, laisse tomber son cartable pile sur ses pieds, oh, pardon Jacob, je ne t'avais pas vu, je vais être en retard au lycée. Jacob ramasse le cartable, le lui tend, s'attarde sur le visage aux joues rondes levé vers lui, sur les yeux noisette qui osent affirmer, je voudrais passer ma main dans tes cheveux, déposer un baiser sur ta nuque. Lucette fronce les sourcils, fait mine de réfléchir, c'est pas aujourd'hui que tu pars à l'armée, Jacob ? Si, alors moi aussi je suis pressé, c'est pas le jour où je peux me permettre d'être en retard. Bonne chance, reviens-nous en bonne santé, conclut Lucette, qui se sent bête de prononcer des mots de mère, de grand-mère. Elle n'a jamais dit de mots d'amante à un garçon, elle en connaît pourtant, amassés dans sa poitrine en tas de pierres précieuses et inutiles, si elle ne confie pas maintenant à Jacob ce que ses yeux racontent, il sera bientôt trop tard, elle aura laissé passer la dernière occasion de tendre un fil solide entre elle et lui, un lien qui leur permettrait de s'écrire, de rêver des heures sur les phrases de l'autre, sur celles que l'on s'apprête à lui formuler. Leurs parents choisiraient de se parler quelques mois plus tard, d'évoquer ensemble l'union des deux jeunes gens avant qu'ils ne fassent des bêtises, à vrai dire, Lucette voudrait s'engager tout de suite dans la voie des bêtises, ce n'est pas le dais du mariage ni la vision d'une robe blanche qui distillent une traînée acide dans son ventre et contractent ses cuisses, c'est la peau de Jacob, ce qu'elle en devine depuis que leurs bras se sont effleurés, l'été précédent, dans la file d'attente chez le marchand de glaces, elle rougit chaque fois qu'elle se remémore le contact de la peau brunie, des poils fins, châtains, qui avaient caressé son avant-bras quelques secondes. Jacob la quitte en lui disant quelque chose qu'elle n'entend pas, elle le regarde s'éloigner, fixe les cheveux qui seront coupés dans quelques heures, presque à ras, comme il est beau, Jacob, même de dos, et Lucette ne sait plus que faire de ce constat qui attendrit son cœur, le dissout par moments et durcit ses seins, pas plus qu'elle ne sait comment elle pourra continuer à tenir debout une fois que Jacob aura bifurqué au coin de la rue Damrémont, qui longe la caserne.

On pointe leurs noms sur un registre, on entreprend de les déguiser en soldats, ils enfilent leur uniforme kaki et se bousculent pour s'apercevoir dans l'unique miroir en pied de la pièce, les yeux brillant de se découvrir ainsi transformés par la grâce d'une chemise, d'un pantalon, d'une couleur. Certains cabrent la poitrine, rendus plus assurés encore par l'enveloppe virile, d'autres flottent dans leurs vêtements, la chemise trop grande rentrée dans le pantalon qui descend sur les hanches forme un bourrelet pathétique. On n'est pas aux Galeries parisiennes, leur lance le soldat qui distribue les uniformes sans toujours prendre en compte leur taille, faites pas les difficiles ou vous serez écrasés comme ça, et il fait semblant de tuer un moustique sur le revers de sa main. Les tondeuses s'activent, les boucles tombent en pluie brune, châtaine, rarement blonde, s'amoncelant en tas mousseux et tristes sur le carrelage blanc, on leur tend une plaque d'identification au bout d'une chaîne, nom, matricule, deux éléments nécessaires pour identifier un mort, les plaques se superposent aux médailles de naissance, aux Vierges tenant dans leurs bras un Christ replet, aux étoiles de David, aux lettres hébraïques *het* et *yod* qui signifient vivant, elles brillent sur les poitrines nues, lisses, velues, dans l'encolure des chemises encore amidonnées, ils se surprennent à caresser la plaquette métallique, comme pour l'apprivoiser, en apprenant déjà par cœur leur matricule. Jacob se voit attribuer le 45 93 001073. Une recrue lui explique la signification des chiffres. 45 correspond aux deux derniers chiffres de son année de naissance, 1925, auxquels on a ajouté 20, et Jacob s'en étonne, pourquoi vingt précisément, serait-ce pour évoquer leur jeunesse ? 93 est le département de Constantine. Les chiffres suivants sont là par le fait du hasard, ils le désignent plus précisément, lui, le soldat Jacob Melki, qui reconnaît à l'autre bout de la pièce deux camarades du lycée d'Aumale au milieu du groupe de juifs, de musulmans, de Français de France, il tente de se frayer un passage pour les rejoindre mais un sergent donne l'ordre aux cent garçons trop bruyants de se taire et de grimper dans des camions bâchés qui s'ébranlent comme des bêtes de somme restées trop longtemps immobiles, ils prennent de la vitesse, distancient les gamins qui courent pour toucher leurs mains de soldats, se dirigent vers le sud. Constantine ocre et blanche, resserrée autour de son rocher, fière de son pont suspendu et des cinq autres ponts tendus autour d'elle, ville forteresse amoureuse des gorges qui la fendent en deux, disparaît brutalement au détour d'un virage, comme si elle n'avait jamais existé ailleurs que dans leurs jeux, leurs joies et leurs terreurs d'enfant.

Le camion avale la poussière rouge de la route pour la recracher aussitôt. On traverse les Aurès, dit une voix. On se dirige vers le Sahara, dit une autre. Quelqu'un a une cigarette ? demande une troisième. Secouées par les soubresauts du camion, les jeunes recrues tombent les unes sur les autres, éclatent de rire, eh, pousse-toi, je préfère les femmes, moi, t'es gros, t'es lourd, elle t'a trop donné à manger ta mère, ça va te faire du bien de changer de cuisinière. Ils se flanquent des coups de coude, des claques, redressent le menton en pivotant la tête avec des airs d'assurance, de défi, passent fréquemment les doigts sur leur crâne fraîchement rasé, c'est une curieuse sensation, les cheveux transformés en brosse qui râpe la paume de la main, comment tu t'appelles, toi, t'es de quel quartier, les noms fusent et se croisent dans l'air, Melki, Bonnin, Ouabedssalam, Attali, Haddad, rue Richepanse, rue Damrémont, rue Caraman, rue du 26e de Ligne, Bellevue, le Coudiat, c'est Bonnin qui a prononcé le nom du quartier chic de Constantine, la partie européenne construite sur une colline aérée et tranquille, ils disent d'où ils viennent, ils ne savent pas où ils vont, ils jouent à être des soldats fringants, mais la chaleur sous la bâche les alourdit et leur impose le silence qui a déjà gagné ceux qui se taisent, ceux qui savent qu'ici n'est pas leur place, pas parmi ces jeunes gens, pas dans l'armée, qu'elle soit française ou non, mais ils ont honte même de le penser, ils roulent plusieurs heures entre le ciel et les rochers, dans un paysage désolé qui les assigne à leur solitude nouvelle. Quand le sergent qui les accompagne soulève la toile huilée à un arrêt au milieu de nulle part, le soleil leur inflige une brûlure immédiate, ils s'alignent pour se soulager, leurs jets marron dégagent une odeur douceâtre, tenace, ils tracent des figures abstraites qui s'écoulent en rigoles sombres sur le sable, et même là, dans ce paysage digne du Grand Canyon où aucun d'eux n'a jamais mis les pieds, c'est à qui pissera le plus loin.

Comment les autres font-ils pour dormir, se demande Jacob dans cette tente au milieu du désert où il claque des dents, comment font-ils pour faire taire les questions ? Qu'est-ce qui l'a préparé à être là depuis sa naissance ? Les noyaux d'abricot transformés en osselets, les cerfs-volants fabriqués avec des roseaux, du papier journal, de la farine et de l'eau en guise de colle, non, les livres empruntés à l'école, la musique, les cigarettes fumées en douce dans les grottes, les filles regardées comme un mystère effrayant et gracieux, non, les disputes, les prières, les plats de fête, les chutes dans les rochers du Rhumel, les blessures aux genoux, les mains écorchées, non, rien ne l'a amené ici naturellement, pas même de jouer aux soldats avec ses copains, d'imaginer qu'ils étaient sur un champ de bataille, rejouant Verdun, le plus souvent, ou les Dardanelles. Ils aimaient ce mot répété par les anciens, ils s'en gargarisaient littéralement en se délectant de faire rouler le *r* pris entre les deux *d*, avant de l'adoucir par la dernière syllabe qui s'envolait sous la langue. Ils clamaient Dardanelles et ils y étaient. Tu es un soldat allemand, pan, je te tue, tu es mort, allez, viens, on va s'acheter un créponné, j'ai piqué cinquante centimes à mon frère. Le goût du citron glacé envahit le palais de Jacob, affole la mémoire nichée dans ses papilles, il s'interroge encore, comment les autres font-ils pour dormir. Lui n'y arrive pas, malgré l'entraînement qui fait exploser sa poitrine trop pleine d'un air brûlant qu'elle ne parvient pas à réguler, déchire ses muscles, rétifs à la perspective de se tendre encore et se tendant quand même, et les humiliations du sergent-chef qui a l'air de n'avoir jamais été un enfant, ou alors un enfant cruel, de n'avoir jamais eu dix-huit ans mais toujours trente, il dit courez, il dit à terre, il dit grimpez, il dit tirez, il dit debout, il dit mous comme vous êtes, vous n'allez pas tenir, bêtes comme vous êtes, vous allez tous mourir, c'est son vocabulaire, personne ne l'a jamais entendu articuler merci, peut-être, bonne nuit, dire qu'il y a des mots qu'un homme peut ne pas prononcer de toute une vie. Jacob n'arrive plus à déterminer depuis combien de temps ils sont parqués ici, réduits à leurs matricules résonnant dans le camp, loin de tout ce qui ressemblait à la vie mais qui ne l'est sans doute pas plus que ce qu'ils éprouvent, sales et suants, au milieu du Hoggar, cinquante jours, peut-être, cinquante jours et cinquante nuits qui ont brouillé leur vie d'avant dès les gâteaux et les farcis préparés par leurs mères engloutis, les premiers soirs, pour pallier les repas dégueulasses, il ne restait rien pour établir un trait d'union entre avant et maintenant, le goût de ce qu'ils mangeaient avait changé, les odeurs de coriandre, d'eau de fleur d'oranger, de cumin, des corps de leurs familles autrefois amalgamés soudain évaporées, remplacées par les effluves chauds et humides de leurs pieds, par la sueur aigre dégoulinant des aisselles, chatouillant leurs côtes jusqu'à la taille pendant l'appel en les figeant une seconde dans l'étonnement du plaisir, mot, sensation oubliée, comme tout ce qui avait disparu, noyé par la viande et les pommes de terre bouillies, le riz sans épices, à peine salé. Ce n'est pas une nouvelle page qui s'est ouverte pour eux, comme l'a dit le commandant de la base, le premier jour, d'une voix métallique, c'est un nouveau monde. Règle n° 1, ne jamais prendre l'initiative de parler, règle n° 2, ne jamais remettre un ordre en question, règle n° 3, ne pas chercher à faire le malin, règle n° 4, être à l'heure, toujours, à la seconde près, plus de temps pour rêver, jamais, c'est peut-être à cause de ça que les yeux de Jacob demeurent ouverts, la nuit. Ils ont changé son corps, l'ont musclé, élargi, développé, dur et souple à la fois, il s'attendait à cette transformation, mais il croyait qu'ils ne pourraient pas changer sa tête, ce serait comme à la maison depuis le jour où il avait découvert que personne ne pouvait deviner ce qu'il pensait, il y avait une voix qu'il était le seul à entendre. Elle avait commencé par dire je n'aime pas le ragoût de cardes, les chardons, c'est bon pour les mulets, puis je n'aime pas les grimaces stupides de la tante Yvette, sa façon de rouler des yeux comme une chouette folle, je n'aime pas les cris de mon père, sa main qui s'abat sur qui le contrarie, qui le provoque, qui ose le contredire, je n'aime pas la peur que je vois parfois sur le visage de ma mère, je n'aime pas cet appartement où il y a du monde, tout le temps, du bruit, tout le temps, la voix avait ajouté, je préfère l'école, monsieur Bensaïd est plus gentil que papa, mademoiselle Rouvier est plus jolie que maman, et il ne se passait rien de grave, il n'était pas puni, ça restait dans sa tête, c'était des mots de silence, il faisait ce qu'on attendait de lui, n'interrompait pas les adultes, les contredisait encore moins, aidait sa mère à porter les paniers au marché, suivait son père et Abraham à la synagogue, faisait les mêmes gestes qu'eux, ils lui caressaient la tête parfois en disant qu'il était un bon garçon, il jouait avec la poussière qui dansait dans les rayons du soleil, s'interrogeant sur ce que l'œil voit, mais que la main ne parvient jamais à saisir.

Jacob sort de la tente en frottant ses bras pour les réchauffer, allume une cigarette américaine offerte par Bonnin. Si le sergent-chef ou l'adjudant passent, il prétendra être allé aux latrines. Les ombres des tentes impriment des marques noires dans le camp, leur disposition régulière lui serre le cœur, on dirait des tombes dans le carré d'un cimetière, pense-t-il, avant de lutter pour chasser l'image morbide de sa tête. Ça ne lui ressemble pas, il n'a pas d'idées de mort comme certains qui n'ont que ce mot à la bouche, chez lui, dans son immeuble, dans sa ville, le crachant comme un serpent fin et noir, que je meure à l'instant si je mens, je ne lui parlerai plus jusqu'à ma mort, tu auras ma mort sur la conscience, le tout dit d'un ton définitif qui se veut détaché mais est plein de rancœur. Jacob, lui, aime se trouver entre ciel et terre sur le pont Sidi M'cid, là où le temps semble suspendu comme la passerelle, tandis qu'en bas les secondes s'écoulent dans les flots du fleuve, il se sent alors arrêté et en mouvement à la fois, dans un sentiment exaltant de joie et de terreur, immergé dans un temps sacré, c'est peut-être Dieu, le temps du monde, bien plus vaste que le sien. Il aime aussi nager à la piscine olympique ou dans les gorges, alternant la bandaison de ses muscles et leur détente jusqu'à ne plus les sentir, jusqu'à ne plus avoir conscience qu'il est un corps d'homme dans une étendue liquide, devenant lui-même eau, souplesse, écume. Il lui est arrivé d'aller à la piscine pour draguer des filles, comme tout le monde, de leur offrir un créponné, une limonade, ou de monter sur le grand plongeoir en ignorant les regards qu'il savait posés sur lui, guettant la figure parfaite de la flèche humaine dans les airs, mais plus que tout c'est la sensation de l'eau sur la peau qui l'enivre, comme la musique, qu'elle soit portée par le martèlement des darboukas et le chant des violons lorsqu'elle est arabo-andalouse, ou soutenue par les trompettes, les pianos et les guitares des chansons françaises. Il aime les mots lorsqu'ils sont chantés, on croirait qu'ils déploient un sens plus profond, plus juste, il aime les notes et les rythmes qui en disent plus encore, atteignent directement au cœur, au ventre, viennent le chercher pour l'entraîner dans la danse. Enfant, lors des mariages et des bar-mitsva, il ondulait devant les femmes, elles frappaient dans leurs mains autour de lui avec des rires gourmands, certaines entraient en transe quand les violons, les ouds et les tambourins émettaient leurs notes lancinantes qui saisissaient leur corps, en prenaient possession pendant des heures, lui arrachaient les désirs et les douleurs tus, pour ne l'abandonner qu'une fois exsangue, essoré, et les yeux hagards des femmes ne reflétaient plus alors qu'une lueur sombre qui le fascinait. Il s'est joint aux hommes plus tard, après ses treize ans. La musique, l'eau, ce sont ses deux éléments, ceux qui lui manquent ici, au camp, sans compter un autre vide qu'il ressent et pour lequel il n'a pas de mots. Il voudrait se souvenir d'un poème, il en a appris tant par cœur, mais depuis qu'ils sont dans le Hoggar, soldats de l'armée française, la mémoire des poèmes s'est enrayée, il bute contre les mots qui fourmillent dans une sarabande anarchique, il se souvient pourtant de ceux qui les ont écrits, Hugo, Rimbaud, Baudelaire, il voit même leurs visages, mais seulement leurs visages, comme si ce qu'ils avaient écrit pouvait être anéanti par le soleil du Hoggar, les ordres du sergent-chef, les nuits glaciales. Pourtant, monsieur Baumert leur avait dit que la poésie résiste à tout, au temps, à la maladie, à la pauvreté, à la mémoire qui boite, elle s'inscrit en nous comme une encoche que l'on aime caresser, mais les vers, ici, ne trouvent pas leur place, ils jurent avec les uniformes, sont réduits au silence par les armes et le nouveau langage aux phrases brèves et criées qui est le leur. Monsieur Baumert leur a menti, ou s'est trompé, les heures passées à mémoriser des poèmes n'ont servi qu'à obtenir de bonnes notes, et le sergent-chef se fiche de leurs notes, il aurait même tendance à humilier un peu plus ceux qu'il appelle les fortes têtes et qui étaient auparavant des élèves studieux. Il préfère les soldats qui truffent leurs phrases de fautes, sauf ceux qui sont musulmans et qu'il appelle des bougnoules, eux il les corrige en éclatant de rire, les affuble de surnoms qui le ravissent, Fatima, Bourricot, Bab El-Oued, et quand il perçoit un rougissement déferler sous les peaux brunes, il pose sa main sur l'épaule du soldat humilié pour dire, je rigole, parce que je sais que tu as le sens de l'humour, t'es un bon gars, tu te bats pour la France, et la France te le rendra.

Le bout de la cigarette rougeoie une dernière fois, elle s'est terminée trop vite, Jacob voudrait en allumer une deuxième, prendre encore le temps de sentir la fumée réchauffer sa gorge, mais ses poches sont vides. Dans le silence troublé par des glapissements de fennecs, il rejoint les autres sous la tente où Attali se bat pour étreindre son oreiller correctement, Haddad ronfle, même s'il le nie chaque matin en arborant une mine scandalisée, Ouabedssalam fait des pauses si longues quand il respire qu'on croirait qu'il rend chaque fois son dernier souffle, Bonnin, les yeux mi-clos, agite sa main dans son entrejambe, il ne peut pas s'endormir autrement, il est loin d'être le seul dans ce monde où les femmes existent si peu que le désir d'elles devient intolérable, où tous ont perdu leur prénom, appelés par leur nom de famille ou leur matricule, comme si c'était ça qui faisait d'eux des hommes prêts au combat. Alors, quand les secondes d'insomnie résonnent dans son crâne comme la scansion d'une défaite, que l'angoisse du jour qui se lèvera sur une nuit blanche étouffe sa poitrine, pour se bercer et réussir à s'endormir enfin, Jacob répète doucement son prénom, Jacob, Jacob, Jacob.

Au petit matin, après le lever du drapeau, la course entrecoupée de pompes, le café noir et le pain caoutchouteux, sous un ciel d'un bleu roi aveuglant qui semble plus inatteignable que jamais, le sergent-chef leur annonce qu'ils vont partir se battre pour libérer la France. Ils ont l'immense honneur d'intégrer l'armée B commandée par le général Jean de Lattre de Tassigny, mais ça, bien sûr, leurs têtes d'abrutis ne sont pas capables de le comprendre. Les visages des soldats restent impénétrables, ils ont appris à maîtriser leurs lèvres, leurs muscles faciaux, leurs paupières rougies par le sable. Les mains de Bonnin et Haddad se crispent sur leurs armes, Attali redresse la tête, Ouabedssalam, dans la dernière rangée, pousse un caillou de la pointe de son pied gauche, dévoilant un scorpion logé dans une cavité sablonneuse, qui trépasse sous le talon du soldat. Est-ce que ça porte bonheur, est-ce que ça porte malheur, se demande Jacob dont la respiration s'est accélérée à l'idée de la France, la vraie, la métropole rêvée dont il connaît par cœur la géographie administrative, les rois, les chansons, pays invisible et pourtant si présent, en passe de se révéler charnellement à lui.

Rasant les murs afin d'échapper au soleil d'août, Rachel se rend à la caserne de Constantine pour obtenir des nouvelles de son fils. Presque deux mois qu'il est parti, pourquoi n'est-il pas rentré alors que le fils de madame Dukan a eu une permission ? Elle a reçu une carte de lui où une phrase sur deux était barrée au feutre noir, sans adresse, sans rien, Gabriel a seulement pu lire, *je vais bien, je pense à vous, je vous embrasse tous, chacun par son nom, votre fils et frère Jacob,* ce ne sont pas des vraies nouvelles, ça. Où est Jacob ?

La secrétaire consulte un fichier. Il est du côté de Touggourt. Touggourt ? Vous êtes sûre, mademoiselle ? La demoiselle hoche la tête vigoureusement, elle n'a aucune raison de mentir, c'est marqué Touggourt, elle dit Touggourt. Rachel la remercie, lui tourne le dos, répétant le nom de la ville dans sa tête, comme une incantation, une prière, trottant à petits pas rapides vers la cordonnerie, ouvrant la porte à toute volée, annonçant à son mari et à son fils ahuris de la voir surgir si droite, si déterminée, je vais voir Jacob, il est à Touggourt.

C'est une mauvaise idée, rétorque Haïm, les routes sont dangereuses, surtout pour les femmes. Pas pour une femme de mon âge, répond Rachel en secouant la tête. Attends un peu, sois patiente, il reviendra. Tu te souviens, Alfred est rentré après trois mois, Isaac aussi, c'est comme ça, l'armée, dit Haïm qui hausse les épaules et se remet au travail, enfonçant des clous dans un talon en un parfait arc de cercle. Abraham ne sait que penser. Son frère lui est un étranger, clôturant la fratrie à l'autre extrémité de celle où il se tient, insaisissable comme la queue d'un lézard. Si jeune, si différent d'eux tous. Il parle presque comme un Français de France, il a un regard doux, gai, le corps élancé, il pourrait être de ces hommes dont on se moque et qui ressemblent à des femmes mais non, c'est un homme, son frère si dissemblable même s'ils ont le même sang en eux, celui de Rachel et de Haïm, et rien sur leurs visages, dans leurs yeux, ni même dans leurs voix ne témoigne de cette fraternité. Il voudrait avoir le courage de sa mère qui a dit, je vais voir Jacob sans mettre de point d'interrogation à la fin de sa phrase, se passant de la permission de son mari qu'elle craint le reste du temps, mais lui, Abraham, sait qu'il serait incapable de quitter la cordonnerie, il ne pourrait affronter le regard de son père s'il poussait la porte pour descendre à Touggourt avec sa mère ; il connaît la petite ville, il y a dormi une nuit, il y a vingt ans, avec Haïm, quand ils allaient de village en village réparer les premiers souliers que les pauvres mettaient de leur vie, il a le souvenir d'une place gorgée de soleil et de sable, et de gosses noirs aux pieds nus qui les observaient en riant, esquissant parfois un geste obscène avant de détaler, c'était il y a si longtemps, avant la naissance de Jacob qui est maintenant soldat et qu'il n'ira pas voir aujourd'hui avec sa mère.

Rachel arrive au deuxième étage du 15, rue du 26e de ligne, imprimant la marque de ses chaussures sur le sol que Madeleine, à quatre pattes, est en train de brosser. Ma fille, sors tout ce que l'on a dans les placards, les couronnes à l'anis, les montécaos, les gâteaux de semoule, et aussi du pain, des croquets, des farcis, mets tout dans deux paniers, c'est pour Jacob.

Il faut plusieurs longues secondes à Madeleine pour se redresser sans perdre l'équilibre. Elle est presque à terme, dans deux, trois semaines d'après ses calculs, elle expulsera les bébés qui poussent en elle, se nourrissent d'elle, sont calmes le jour et agités la nuit, leurs mouvements l'ont persuadée que ce sont des garçons. En attendant de les découvrir elle se sent si lourde, quand elle prend appui sur ses bras pour se relever, des cordes se tendent dans son ventre, elle a l'impression d'entraîner avec elle une charrue, des bœufs, des pierres, mais elle fait l'effort pour Jacob, elle ne le maudit pas d'ajouter une tâche aux mille qui sont déjà les siennes chaque jour, au contraire, elle fait des prières muettes tandis qu'elle emballe les victuailles et les dispose dans les paniers, elle souhaite que Jacob soit protégé, c'est le plus gentil de tous dans cette famille, quand il dévale l'escalier en fredonnant des chansons de Salim Halali ou Cheikh Raymond, toutes les portes s'ouvrent, les exclamations fusent, les bénédictions aussi. Il a une voix déchirante, Jacob, en arabe, en français, il connaît tout le répertoire de Piaf, il chante même en anglais et dans ces moments-là on dirait un Américain. C'est ce que pense Lucette, la fille de Maurice et Mathilde, qu'on appelle le plus souvent par leurs petits noms, Marjouf et Maïssa, elle ne perd jamais une occasion de le voir, elle attrape son image comme d'autres font la chasse aux papillons, elle est maligne, trouve tous les moyens pour l'écouter en douce, regardant ailleurs, par en dessous, son corps tendu vers celui que ses yeux évitent. La veille de son départ à l'armée, elle le guettait sur la terrasse, elle s'est tellement penchée pour le voir qu'elle a failli tomber, il doit lui manquer, il nous manque à tous, pense Madeleine. Gabriel est encore plus sombre que d'habitude, il serre les poings même en dormant, Fanny écrit son nom, elle s'applique, pleins, déliés, ça peut durer des heures, elle n'est jamais satisfaite du *j* majuscule, Camille le cherche, la nuit, elle se lève d'un bond, trotte d'un pas décidé jusqu'à l'emplacement du matelas de Jacob, contemple le carrelage de ses grands yeux perplexes, comment quelqu'un peut-il disparaître d'une vie, d'une maison, et pourquoi ? Madeleine tente de la recoucher mais la petite refuse de bouger, elle pointe de son index minuscule l'endroit où devrait être Jacob et où il n'est pas, elle prononce des phrases incompréhensibles dans le langage dont elle a le secret, la langue des somnambules qui ne s'entend nulle part ailleurs que dans la nuit, qui ne s'écrit pas, mélange de syllabes douces et heurtées, d'interrogation et de détermination, qu'aucune grammaire ni étymologie ne viennent éclairer.

Madeleine emballe les montécaos dans des torchons, enviant Rachel d'agir ainsi, elle s'en va voir son fils, rien ne peut l'arrêter, pas même Haïm, qui ressemble à ce Joseph Staline dont elle a vu hier une photo dans le journal enveloppant le poisson. Si seulement elle pouvait s'opposer à Haïm et Abraham avec la même force quand ils battent Gabriel. Madeleine, ma fille, les paniers sont prêts ?

Rachel enfile un jupon blanc et un bleu ciel, ajuste ses manches, un foulard sur ses cheveux qu'elle n'enduit plus de henné depuis le départ de Jacob, dépose ses bijoux dans un coffret, y prend de l'argent et embrasse Madeleine qui verse de l'eau sur le pas de la porte. Rachel marche dans la flaque, revient dans l'appartement, en sort de nouveau, impensable de déroger au rituel, partir en paix, revenir en paix, chasser les démons qui guettent et ne demandent qu'à s'élancer sur l'impulsion d'un regard, on appelle ça le mauvais œil, elle sait qu'on lui jalouse le fils de sa vieillesse, autant être rigoureux dans tout ce qui pourra les protéger, lui et elle.

Place de la Brèche, elle monte dans une calèche qui l'emmène à la gare et là, elle achète un billet pour Touggourt. Dans le train, elle serre ses paniers comme elle réchaufferait contre elle ses enfants. Mais de vrais enfants, pas des hommes qui la dépassent de plusieurs têtes, aux mains larges, à la voix grave, aux pas lourds. Des nourrissons fragiles pour lesquels elle connaît tous les gestes. Donner le sein, langer, emmailloter, masser les corps à l'huile d'olive, elle l'a fait avec tous, Abraham, Isaac, Alfred, Jacob, Jacob. Le premier Jacob dont les dates scandant son apparition dans la vie et sa disparition sont gravées sur une dalle, au cimetière juif qui surplombe la gare, dans le carré des enfants où les tombes ressemblent à des berceaux. 1920-1923. Un petit garçon incroyablement calme, aux yeux grands ouverts, qui mangeait peu et fixait les visages si intensément que ça mettait les gens mal à l'aise. Un matin, il s'était réveillé en pleurant et rien n'y avait fait. Il refusait de boire, de manger, se débattait dans ses bras, ses traits criant une terreur qui l'avait pétrifiée. Elle avait placé du sucre et des fèves sous son lit, déposé des cataplasmes sur sa petite poitrine, tenté de lui faire ingurgiter du lait chaud et du miel, brûlé des grains de lavande dans des coupelles avant d'aller au dispensaire, puis à l'hôpital. Ses bras ont gardé dans leur creux le corps tremblant et brûlant que les médecins qui savent tant de choses n'ont pas su sauver. Devant le minuscule cercueil, une voisine lui a dit, c'était un ange, Dieu l'a voulu près de lui. Rachel n'a pas accepté de plier face au destin dont on dit qu'il est *mektoub*, écrit d'avance, elle a redonné le prénom de Jacob au nouveau-né arrivé deux ans plus tard, par surprise, presque honteusement. Elle avait déjà des cheveux blancs et les rides de la quarantaine lorsque ses seins ont de nouveau gonflé, lui signifiant qu'elle allait porter une autre vie, elle a dissimulé aussi longtemps qu'elle a pu sa grossesse, cachant son ventre sous des jupons amples, les gens allaient jaser, dire derrière son dos qu'elle *le faisait encore* avec Haïm. Elle espérait une fille, l'assurance d'être accompagnée jusqu'à la fin de ses jours, mais il faut croire qu'elle n'était faite que pour engendrer des garçons, ses lèvres s'agitent pour prier en arabe et appeler sur eux la bénédiction.

À la caserne de Touggourt, on prend à peine le temps de répondre à la femme qui s'exprime moitié en français moitié en arabe, passe du vouvoiement au tutoiement de manière incohérente, appelle « mon fils » le lieutenant qui s'est arrêté un instant pour l'écouter, touché, elle lui évoque sa grand-mère corse, elle est à la recherche du sien, de fils, il est tirailleur, Jacob Melki, il a une très belle voix et des cheveux châtains, une cicatrice sur le crâne côté gauche, il s'est cogné au coin de la table quand il avait un an et demi, il était sage mais plein de vie aussi, il avait dansé en battant des mains, perdu l'équilibre, c'est comme ça qu'il s'est cogné, il a beaucoup saigné, ça saigne tellement la tête, j'ai couru avec lui dans les bras jusqu'au dispensaire sans m'arrêter, sans respirer, maintenant il est soldat français, tu ne sais pas où il est, mon fils ? Le lieutenant demande à Rachel la date d'incorporation de Jacob, elle ne comprend pas le mot incorporation, il explique, quel jour votre fils est-il parti à l'armée ? Le 22 juin, à neuf heures il est parti, je ne l'ai pas vu depuis, je le languis beaucoup. Le lieutenant se doute que Jacob est déjà prêt à accoster en Provence, il n'en dit rien à Rachel, il pense qu'elle serait heureuse de savoir qu'elle peut le retrouver quelque part, elle vivra quelques jours encore en l'imaginant tout proche et non pas de l'autre côté de la mer face à l'ennemi allemand dont on dit que la cruauté est sans limites, il saisit un bordereau de l'armurerie, le feuillette, concentré, dit, Jacob Melki, oui, le voilà, il est à la caserne d'Aumale.

La caserne d'Aumale, comme le lycée d'Aumale, c'est bon signe, songe Rachel, Jacob est protégé par le duc d'Aumale. Il avait de si bonnes notes, toujours dans les premiers, premier prix de récitation et deuxième prix de composition, il a pourtant raté l'école pendant deux ans quand on l'a renvoyé en 1941 parce que la France avait décidé que les juifs d'Algérie étaient de nouveau des Indigènes. Le directeur du lycée avait convoqué Jacob dans son bureau avec d'autres camarades dont la sonorité du nom ne laissait planer aucun doute sur leur qualité d'éléments irrémédiablement étrangers à la France. Je suis désolé, avait-il dit, ce sont les directives, les enfants juifs n'ont plus le droit de fréquenter nos établissements. Jacob l'avait regardé comme si on lui avait découvert une bosse dans le dos, il avait baissé la tête en murmurant mais comment on va faire alors pour étudier, le directeur avait écarté les bras en lançant un coup d'œil en biais sur le portrait du maréchal Pétain accroché près de la fenêtre. Dans la soirée, le professeur d'anglais, monsieur Adda, était venu frapper à leur porte. Rachel était gênée de le recevoir dans un appartement si petit où on se cognait les uns aux autres, elle avait envoyé Madeleine et les enfants dans la chambre à coucher, monsieur Adda avait fait semblant de ne rien remarquer, s'était assis sur une chaise comme s'il était dans la salle des fêtes de la mairie et avait dit : ce décret est infâme. Tous avaient hoché la tête vigoureusement sans comprendre, devinant qu'ils ne pouvaient qu'être d'accord avec le mot et le ton catégorique qui l'imprégnait. Nous aussi on nous a chassés du lycée, ils ne veulent plus de juifs, ni comme professeurs ni comme élèves, alors on a décidé de continuer à donner des cours aux enfants, ça se passera chez moi, tu viendras tous les matins à neuf heures, avait-il précisé en fixant Jacob, et on leur prouvera que les juifs tiennent par-dessus tout à l'instruction. Ainsi, en étudiant quelques heures par jour dans l'appartement de monsieur Adda, entassé dans la salle à manger avec ses camarades, Jacob avait appris tout le programme de seconde, les yeux rivés sur le dessin du tapis qui aimantait son regard, et l'année suivante, retournant au lycée après le débarquement américain, il avait même eu le premier prix d'anglais, à force de le chanter, il savait bien le parler, ça lui permettra sûrement de trouver une bonne situation, à mon Jacob, ma vie, Dieu le protège là où il est, à la caserne d'Aumale, maintenant la France ne le rejette plus, au contraire, elle le juge suffisamment français pour porter l'uniforme de son armée, il est lavé de la honte d'avoir été chassé de l'école. Et Rachel demande au lieutenant s'il peut envoyer pour elle un télégramme à Constantine, informant qu'elle ne rentrera pas tout de suite, pas tant qu'elle n'aura pu embrasser Jacob. L'officier note l'adresse, 15, rue du 26e de Ligne, le nom du père, Haïm Melki, et serre la main de Rachel qui retourne à la gare de Touggourt, où on lui signifie qu'il est trop tard, le dernier train vient de partir. Elle est seule dans la ville, il ne lui viendrait pas à l'esprit de chercher un hôtel, lieu de débauche et d'arnaque, elle questionne un marchand de légumes, où se trouve la synagogue de Touggourt ? *Yahoud*, s'enquiert-il en arabe, oui, répond Rachel, et toi ? Le marchand fixe la ligne derrière laquelle le soleil a disparu. Il y a longtemps, les grands-parents de mes grands-parents, et plus loin encore, ils étaient juifs, qu'est-ce que tu fais ici sans ton mari ? Je cherche mon fils, il est soldat, il était là, il est parti, je dois attendre le train de demain pour le retrouver. Viens à la maison, ma sœur. Et Rachel se surprend à le suivre jusque chez lui sans plus poser de questions, pénétrant dans une masure au sol en terre battue où sa femme allaite un enfant de deux ans, assise sur une natte. L'homme explique à celle-ci l'objet de sa présence, elle hoche la tête plusieurs fois en direction de Rachel, ses lèvres sourient mais pas ses yeux. L'homme demande à un garçonnet en train de trier des lentilles d'apporter un broc et une bassine d'eau pour leur invitée, des fruits et des biscuits à l'anis, personne ne parle, les mots sont superflus dans l'obscurité qui s'annonce. Ce sont des anges, pense Rachel, Dieu me les a envoyés pour que je me repose en sécurité et les anges ne parlent pas, c'est bien connu. Le garçonnet, collé contre sa mère, la fixe à travers deux fentes noires, il a à peu près l'âge de Gabriel mais son front ne brûle pas de colère, et quand la nuit tombe, c'est-à-dire quelques minutes après l'arrivée de Rachel, il étend des nattes sur le sol avec son père et ils prononcent des prières que Rachel a du mal à saisir. Elle s'allonge tout habillée, à l'instar de ses hôtes, prie aussi, Mon Dieu, protège tous mes enfants, protège Jacob qui n'a que dix-neuf ans, fasse que je le voie demain, que j'embrasse son front, et elle s'endort jusqu'au petit matin, elle quitte alors ses hôtes en leur tendant un billet qu'ils refusent, elle se mord les lèvres de les avoir vexés, même si elle avait pris soin de préciser, c'est pour les enfants, vous leur achèterez des vêtements, des souliers, mais le visage de l'homme s'est fermé. Elle le bénit, lui, sa femme, ses enfants et toute la descendance qu'ils engendreront, qu'ils soient en bonne santé, fassent de beaux mariages et gagnent leur vie honnêtement, elle se rend à la gare, achète un autre billet de train, traverse le désert vers le nord, Touggourt – Biskra, elle a faim mais se refuse à toucher aux victuailles destinées à Jacob, boit aux fontaines des gares lorsque le train fait halte, achète une galette et du lait caillé à un Arabe pour quelques sous. C'est la première fois de sa vie qu'elle voyage seule, elle pourrait avoir peur de se tromper, de ne pas parvenir à destination, elle ne sait ni lire ni écrire, mais la certitude d'embrasser Jacob au bout de son périple lui donne des forces qu'elle ignorait posséder, Biskra – M'sila, la seule chose qui la dérange c'est sa toilette, le wagon du train est plus chaud et humide qu'un hammam, saturé d'odeurs intimes qui crispent ses narines, elle se rince sous les bras et entre les cuisses dès qu'elle le peut mais ce n'est pas une vraie toilette, elle voudrait être propre pour retrouver Jacob, elle voudrait être fraîche quand elle le serrera dans ses bras, elle veut qu'il soit fier d'elle, même si elle regrette amèrement d'avoir laissé ses cheveux blancs gagner du terrain depuis son départ, tant pis, il la verra telle qu'elle est, vieille, inquiète, aimante, M'sila – Aumale, elle se rapproche de lui, sourit, le paysan assis en face d'elle pense qu'il est le destinataire de ce sourire, il s'interroge, comment une femme de son âge ose interpeller ainsi un homme, il garde un air renfrogné, qu'est-ce qu'elle croit, qu'il a envie de la suivre, même si elle le payait il ne l'approcherait pas. Le train ralentit, Rachel se presse contre les autres voyageurs devant la portière que quelqu'un a déjà ouverte alors que le train roule encore, ils partagent tous la crainte de ne pas avoir le temps de descendre à leur station. Un air brûlant et gonflé de sable s'engouffre dans le couloir du wagon, Rachel ferme les yeux, chancelle, on lui marche sur les pieds, elle lutte pour rester droite, ne pas ressembler à un animal dans un troupeau, jamais, elle se dirige d'une démarche de jeune fille vers les calèches postées devant la gare, amène-moi à la caserne d'Aumale, dit-elle au cocher d'une voix qu'elle-même ne reconnaît pas.

La caserne d'Aumale est peuplée de Français et d'Américains dont les langues se superposent, parfois reliées par la bonne volonté d'un interprète. Le planton regarde la femme au fichu humide de sueur, agrippée à ses paniers comme à un trésor. Je viens voir mon fils, Jacob Melki. Quel régiment ? Elle ne sait pas, il est parti de Constantine voilà deux mois et n'est jamais rentré en permission, c'est pas normal, un lieutenant à Touggourt lui a dit qu'il était à la caserne d'Aumale, ici donc. Le planton est las, impatient de voir arriver la relève, de fermer les yeux une heure avant d'accomplir sa corvée de cuisine, il lui ordonne d'attendre sans lui proposer un siège ni un verre d'eau. Rachel pose ses paniers et s'éponge le front, elle peut tenir encore debout puisqu'elle va voir Jacob. L'ombre de la guérite s'allonge sur le sol, atteint le bord du trottoir où pourrit un trognon de pomme, et le planton désigne enfin Rachel à la relève, un soldat roux aux yeux verts et à la peau fragile, il préfère l'ombre au soleil, les livres aux armes, les femmes et les enfants aux soldats, il laisse entrer Rachel dans la caserne en lui expliquant lentement l'itinéraire à suivre jusqu'au bureau des recrues. Elle se trompe tout de même, se perd, rassemble son courage pour demander son chemin. À droite, madame, au premier, au bout du grand couloir, la dernière porte vitrée sur votre gauche. Au bureau indiqué, un soldat à lunettes écoute à peine sa requête, l'envoie au rez-de-chaussée, bureau 28, c'est à droite ou à gauche, mon fils, Dieu te bénisse, dit Rachel dont la fin de la phrase vient se cogner à la porte que le soldat lui referme au nez. Les recrues et les officiers sont tous très affairés, ils bousculent sans la voir la vieille femme désorientée de soixante ans, ne restez pas là, madame, vous dérangez. Rachel perçoit que cette agitation est inhabituelle, même dans une caserne, ses oreilles glanent des mots qui volettent autour d'elle, des bouts de phrases, de rapports, elle entend avant de comprendre, avant qu'une secrétaire qui a brusquement pitié d'elle lui dise, mais votre fils, Madame, il est parti depuis un moment, il est en train de débarquer avec nos forces en Provence, mais vous pouvez,

Rachel n'entend plus rien, lâche ses paniers, s'adosse au mur, le menton agité par un tremblement irrépressible. Ne pleurez pas, Madame, vous pouvez être fière de lui, répète la secrétaire, nous allons gagner la guerre, la campagne d'Italie est un succès, votre fils se bat pour la patrie. Rachel résiste pour ne pas être aspirée par le trou creusé sous ses pieds, elle lève ses yeux clairs vers la secrétaire, lui tend les paniers, tenez mademoiselle, prends, donne-les aux soldats ma fille, *rabbi aïchek*, qu'au moins ça profite à d'autres.

Avant de quitter la caserne d'Alger, Jacob s'est fait prendre en photo avec ses camarades devant une réplique du *Normandie*, et a posté le cliché à ses parents en griffonnant au dos *Vive l'armée française ! De gauche à droite mes compagnons Ouabedssalam, Attali et Bonnin, vous me reconnaîtrez je pense, je n'ai pas tant changé. Je vous embrasse tous, chacun par son nom. Votre fils et frère Jacob.* Ouabedssalam, sérieux et sombre, se cramponne au faux bastingage de la main droite, il a posé l'autre sur l'épaule d'Attali, qui tient une cigarette dans la main droite et a posé la gauche sur l'épaule de Jacob, qui garde les siennes croisées sur le bastingage tout en tenant également une cigarette, son corps est relâché, détendu et confiant, à sa gauche Bonnin a un air un peu craintif, pas guerrier pour un sou, il n'a pas endossé l'assurance avec l'uniforme, contrairement aux autres dont les regards sont teintés d'une virilité insolente, il semble être là pour rappeler qu'ils sont déguisés, que ça ne peut pas être sérieux d'envoyer des enfants de dix-huit ans au combat en leur faisant chanter *La Marseillaise* juste avant. Haddad est absent de la photo, il n'a pas voulu, il a dit que ça porte malheur.

À Philippeville, les jours d'été, ils partaient le matin entassés dans l'automobile d'Isaac, rentraient le soir délestés d'un pique-nique généreux, ils appelaient ça partir en vacances. Rachel restait tout habillée sur la plage, et dans ses yeux se succédaient la réprobation devant les femmes en maillot de bain et la joie face à ses enfants portés vers les vagues par une ivresse soudaine, même Abraham avait l'air heureux ces jours-là. La mer était bleue, chaude, ce n'était pas cette nappe noire portant dans ses plis des navires de guerre gris clair qui, en l'absence de soleil, se revêtent d'anthracite. Il n'y a pas de couleur sans lumière, pense Jacob, surpris de se souvenir d'une phrase prononcée par le professeur de sciences. Attali vient de vomir pour la troisième fois, Ouabedssalam n'a pas dit un mot depuis l'embarquement, Haddad a disparu, quelqu'un l'aurait vu plonger par-dessus bord quand ils ont quitté le port d'Alger, Bonnin sifflote, il dit, on rentre enfin en France, on va leur montrer aux Boches de quoi on est capables, il crache par terre, les mots semblent être sortis d'une autre bouche que la sienne, et le crachat aussi, il paraissait tellement timide jusque-là, mais ils ont embarqué sur le *Gloire*, et le frêle Bonnin en est galvanisé.

Autour d'eux, les ombres des bateaux pivotent lentement. Ils ne se dirigent pas vers Gênes comme l'ennemi le croit, ils vont le surprendre en Provence. Jacob ne sait pas s'il a peur, on a fait de lui un soldat, le mot contient une autre façon de bouger, s'habiller, manger et dormir, utiliser son corps et ses forces, et bientôt, il voudra dire tuer ou être tué. Il a aimé son reflet en uniforme dans la vitrine d'un marchand d'Alger, pendant la permission que le commandant leur a accordée avant le départ, même s'ils ne savaient pas encore que ce serait le départ. Les filles se rapprochaient d'eux nonchalamment square Bresson, face à l'Opéra, ils faisaient semblant de ne pas les remarquer et puis parfois, ils se retournaient et leurs regards étaient encore accrochés à eux au milieu de rires étouffés, ils leur adressaient un clin d'œil, se sentaient les rois de la ville, aussi ténébreux et invincibles que les cow-boys du *Retour de Frank James*. Il a aimé que le marchand de citronnade leur offre les consommations et insiste pour qu'ils prennent une anisette, les soldats de France avaient bien le droit de se détendre, un verre d'alcool n'a jamais fait de mal à personne, au contraire. Au kiosque à musique, un petit homme à lunettes tout vêtu de blanc chantait des chansons réalistes en jouant avec son canotier. Adossé à un palmier, un adolescent au corps noueux avait fixé Jacob avec un désir plus franc que les filles de la place et Jacob était resté interdit quelques secondes avant de tourner la tête pour fredonner avec le chanteur, mais les yeux du garçon avaient continué à creuser leur empreinte sur sa nuque, dans ses reins, à quoi sent-on ce genre de chose, un regard sur soi, même de dos, il n'avait pas d'explication.

Allongé sur le pont, Jacob tente de retrouver la chaleur éprouvée ce jour-là, la fraîcheur désaltérante de l'anisette dans sa gorge, la gaieté de la foule et même les traits énigmatiques du jeune homme, mais il est engourdi, et son cerveau peine à lui transmettre autre chose que le bourdonnement sourd de cette nuit où la mer semble plus peuplée que la terre, plus de mille navires font route avec eux, des dizaines de milliers d'hommes, quand il y pense, il a l'impression de rétrécir jusqu'à devenir un grain de sable dans l'immensité, la tête lui tourne, il est tout et rien à la fois. Pour être tout plutôt que rien, il aurait aimé sentir contre lui une de ces filles d'Alger, une bouche sur sa peau, des bras autour de lui, Lucette peut-être, non, pas Lucette, il la connaît depuis toujours, elle pourrait être sa sœur, même si le jour de son départ, le tremblement qui parcourait son visage et la contraignait à bégayer exprimait autre chose. Va voir les filles, lui avait dit son père en lui tendant un billet après les épreuves du baccalauréat, mais il l'avait dépensé à la Brasserie Alex avec ses copains, il ne pouvait pas, il ne voulait pas être dans les bras d'une femme qu'il ne connaissait pas, se déshabiller devant elle, la laisser toucher le bas de son ventre où la douce brûlure s'attisait trop souvent, il ne savait pas s'il en avait envie ou si cela le dégoûtait. Il lui était arrivé de percevoir des mouvements sous les draps, la nuit, même si Abraham et Madeleine essayaient de faire le moins de bruit possible, il entendait des grognements réfrénés, leur tournait le dos, récitait par cœur toutes les tables de multiplication, à l'endroit, à l'envers, en s'arrêtant tout de même parfois pour épier les soupirs réprimés, le clapotis des chairs rapprochées, il comprenait et ne comprenait pas ce qu'ils étaient en train de faire, jusqu'au jour où le doute avait été balayé, il avait su, c'était le secret des hommes et des femmes quand les interdits tombaient, le contact qui suscitait tant de chuchotements entre les femmes, de rires entre les hommes, de regards perdus dans des verres d'alcool, on accoste dans trois heures, se dit-il, encore une nuit sans sommeil et je n'ai jamais dormi avec une femme, mais je vais bientôt savoir à quoi ressemble la guerre,

qui débute par de lourds bombardements sur les côtes bleutées de Provence, sifflements, déflagrations en chaîne, traînées de vacarme assourdissant, l'artillerie et l'aviation pilonnent les batteries allemandes, des nuages de poussière engloutissent le paysage qui commençait à se révéler dans l'aube, des ondes de choc les traversent, affolant leurs cœurs, ébranlant leurs poitrines, les ordres criés par le commandant sont répétés à la chaîne, dans trente minutes, quinze, dix, armez vos fusils, vérifiez vos munitions, en colonnes de deux pour débarquer par les passerelles, on leur distribue du coton à fourrer dans les oreilles pour éviter la surdité, ils sont debout, serrés les uns contre les autres, parqués à l'avant du navire, ils échangent des regards de gosses qui s'apprêtent à faire un mauvais coup, balayant par avance les conséquences, les clins d'œil se multiplient comme une volée de papillons sur leurs visages rasés de près où apparaissent petits boutons, écorchures, pores dilatés, peau de pêche, ça va aller, on est ensemble, on reste ensemble, c'est les Boches qui doivent mourir, pas nous, on s'en sortira vivants. Ils sont prêts, impatients de se dégourdir les jambes, de quitter le *Gloire*, mais l'attente se prolonge au-delà des dix minutes, interminable, ils trépignent, entonnent le chant que le cuisinier, un ancien qui a fait la Grande Guerre, murmure dans son coin, glissant leurs voix de basse sous les grondements qui écrasent les pinèdes, *C'est nous les Africains, Qui arrivons de loin, Venant des colonies, Pour sauver la Patrie, Nous avons tout quitté, Parents, gourbis, foyers, Et nous avons au cœur, Une invincible ardeur, Car nous voulons porter haut et fier, Le beau drapeau de notre France entière, Et si quelqu'un venait à y toucher, Nous serions là pour mourir à ses pieds, Battez tambours, à nos amours, Pour le pays, pour la Patrie, mourir au loin, C'est nous les Africains,* jusqu'au moment où le cri Débarquement les libère et déclenche une clameur nourrie de leurs voix, Débarquement, Débarquement.

À Cavalaire, derrière les nuages de poussière déchirés, le turquoise et l'émeraude des eaux rivalisent jusqu'à la ligne fixée brutalement par les rochers rouges des falaises, des pins courent sur la crête, on se croirait presque en Algérie, même si quelque chose d'indéfinissable indique que l'on n'y est pas, mais Jacob ne parvient pas à trouver quoi, la lumière, la teinte des roches, leur taille, la conscience qu'il s'agit là de la France, il en a le souffle coupé, une seconde avant de ne plus voir le paysage qui l'appelle à la rêverie, il faut courir sur la passerelle en oubliant le poids du sac à dos, en protégeant son fusil, il faut parcourir les derniers mètres dans l'eau chaude qui alourdit leurs uniformes, ils sont des dizaines, des centaines à courir maintenant sur la plage de sable fin au son des bombardements d'artillerie qui se poursuivent plus à l'est, en avant, crie leur commandant, et l'ordre se propage d'homme en homme en leur donnant un sentiment de puissance inédit, ils sont tous un et des centaines à la fois, à ne plus penser, à foncer, neuf kilomètres à pied, c'est rien, montrez-moi comme vous courez, crie le commandant, et c'est à qui courra le plus vite sous le soleil de Provence où les grillons se sont tus, terrifiés par les bombardements, tous les animaux et insectes figés, car aucun signe, aucune secousse tellurique profonde ne les avait avertis que la terre allait trembler.

Les rétines de Jacob enregistrent un panneau, Ramatuelle, Saint-Tropez, dix-huit kilomètres, des maisons en pierre, des toits aux tuiles carmin, des pins, des oliviers, un champ de lavande traversé par un lapin affolé qui ne retrouve pas son terrier ou qui, curieux, audacieux, a décidé de participer à la course de la 3e division d'infanterie algérienne pour qui le débarquement ne commence pas par un combat mais par un rassemblement à Gassin, où le quartier général prépare l'assaut qui libérera Toulon, chef-lieu du département du Var, pense Jacob de manière machinale en serrant contre lui son Mas 36, tentant d'apaiser le rythme de sa respiration. On les laisse à peine boire une eau tiède, manger quelques biscuits, les rations pour l'armée B ne sont pas encore arrivées dans la base où les radios crépitent, on les dirige vers Bormes-les-Mimosas. La nuit est tombée et la chaleur accumulée dans la journée a appelé l'orage, la pluie frappe les soldats, entaille leurs joues, plante des aiguilles dans leurs yeux, ils parcourent cette fois trente kilomètres à pied. De temps à autre, un éclair illumine leurs silhouettes de gros insectes, et le vacarme, la pluie, la lumière qui les inondent et les figent leur donnent l'illusion d'être au milieu d'un songe, dans un lieu où une sorcellerie inconnue déchaînerait ses forces, mon Dieu, mon Dieu, répète Jacob, mon Dieu, mon Dieu, murmurent ses camarades, c'est le seul mot qui leur vient aux lèvres, ils sentent sa présence toute proche, seul lui peut orchestrer un tel spectacle, mais au matin la pluie cesse et Dieu semble avoir disparu. Ils traversent Bormes-les-Mimosas, fusils en alerte, le village est désert, ses habitants terrés dans leurs maisons attendent le moment où un officier français leur annoncera qu'ils sont vraiment libérés, mais le commandant de l'unité ne leur offre pas cette fête, il craint d'être retardé par les étreintes, les danses, le vin qui surgirait des caves, il doit conduire ses hommes au combat, plus loin, Bormes-les-Mimosas patientera encore un peu avant de clamer sa joie. Jacob lit crémerie, boucherie, boulangerie, c'est sa langue, les mêmes écriteaux que chez lui, finalement, c'est peut-être la France qui ressemble à l'Algérie, et pas l'inverse. Attali demande au commandant s'ils peuvent s'arrêter un instant pour pisser, pas question, répond l'officier, pisse en marchant, mais c'est impossible, mon commandant, je ne peux pas contrôler tous mes muscles à la fois. Il va se faire mettre aux arrêts, pense Jacob, pendant les classes une remarque pareille lui aurait coûté très cher, tu pisses en trente secondes et tu nous rattrapes, dit l'officier. Deux autres gars s'arrêtent avec Attali, c'est pour l'emmailloter, mon commandant, et ils éclatent de rire, la colonne entière se détend, en fait la guerre, ce n'est pas si terrible, ça ressemble comme deux gouttes d'eau à l'entraînement, c'est même plus agréable, le cadre est bucolique, le commandant plus humain que l'adjudant-chef, ils arrivent en vue de La Londe-les-Maures, eh, c'est ton village, crie Bonnin à Ouabedssalam, c'est chez toi ici. Ouabedssalam hausse les épaules et vide entièrement sa gourde, sa gorge lui semble plus sèche encore, il voudrait s'immerger dans la mer au lieu de marcher sur une route comme un mouton, mais se baigner aujourd'hui signifierait déserter. À l'orée d'une pinède, sur les contreforts de Hyères, des GI's les accueillent. Ensemble ils vont s'élancer à l'assaut des Allemands qui résistent là, cachés dans leurs blockhaus. Les forces se répartissent par groupes de dix, porteurs de bazookas et soldats armés d'un fusil mêlés, les bazookas pour fendre le béton, les balles pour déchirer les chairs, ils avancent en arc de cercle vers les Boches que les Américains appellent les *Germans*, Jacob croque dans une barre de chocolat tendue par un GI et manque d'une seconde le signal donné par son commandant, il sursaute. Les obus qui explosent sur les blockhaus précipitent leur avancée, les soldats allemands se faufilent par des tunnels pour s'échapper et surgissent dans la broussaille, à quelques mètres d'eux, comme des marionnettes tirées par des fils invisibles. Jacob arme son fusil et tire. Une balle, deux, trois, quatre, il ne les compte plus, pas plus qu'il ne compte les corps qui s'écroulent devant lui, fauchés en pleine course, il ne tire pas sur des hommes, il tire sur des ombres qu'il faut éliminer sans réfléchir, sa main gauche trouve les cartouches comme si c'était le seul geste qu'elle avait accompli depuis toujours, ses yeux repèrent les soldats à abattre, son index droit appuie aussitôt sur la détente, il ignorait qu'il sentirait cette bourrasque dans sa poitrine, la résonance des explosions le soulève, il ne voit pas les camarades qui tombent dans leurs rangs, il n'a d'yeux que pour ceux qui portent l'uniforme noir suscitant en lui une haine inattendue. À ses côtés, Attali et Ouabedssalam tirent comme des fous eux aussi, ils déchargent leurs balles en rafales, expulsent leur violence toute neuve, puissants, puissants, Jacob aperçoit Bonnin terré derrière un rocher, claquant des dents, Bonnin, viens, mais Bonnin ne bouge pas. Tu es blessé ? Bonnin ne répond pas, il tremble, viens, viens, on va les dégommer les Boches, ne reste pas là, viens avec nous, et Jacob tire encore sur un Allemand, tout en remettant sur pied son camarade de l'autre main, il le tire en avant dans la pinède qui s'enflamme sous l'effet des explosions, l'incendie se déchaîne comme s'il couvait depuis des jours, ayant retenu si longtemps ses flammes qu'elles se propagent à présent comme des danseuses démentes, les poumons des Allemands et des Alliés sont saturés du même air brûlant, de grosses gouttes de sueur envahissent les visages des soldats qui sentent leur arme glisser entre leurs mains et poussent des cris de rage pour l'en empêcher, salaud de fusil, ce n'est pas maintenant qu'il faut me lâcher, tu fais partie de mon corps, on est indissociable toi et moi, tue, tue, je me charge de passer entre les flammes, de te tenir jusqu'au bout du combat, sans toi je ne suis plus un soldat, je n'ai plus de raison d'être ici, à bondir sur les collines de Provence, sous le soleil dont les rayons augmentent la fournaise, mes paupières brûlent, mes joues sont en feu, de l'eau, donnez-moi de l'eau et je continuerai de combattre jour et nuit, ce sont les mots qu'aucun d'eux n'a le temps d'aligner mais que leur volonté leur insuffle, Bonnin s'effondre, a-t-il trébuché, a-t-il été touché par une balle, Jacob le prend sur son dos, surpris par le poids qui pèse soudain sur lui, Bonnin est léger, c'est un gringalet, mais son corps crispé est lourd, et son équipement l'alourdit encore de plusieurs kilos. Jacob serre les dents, dévale une pente capitonnée d'aiguilles de pin, trébuche sur une racine sortie de terre. Au milieu des images qui se précipitent dans ses yeux en rafales, il a repéré une ferme en contrebas nichée entre la colline et la route bordée de lauriers-roses et de genêts, il a reconnu les uniformes américains derrière la mitraillette, il boite et court à la fois, son chargement sur le dos, la crosse du fusil de Bonnin coincée dans les côtes, il hurle *French force*, *French force* et son cri lui donne l'énergie d'arriver jusqu'à la ferme, de défoncer la porte de l'étable, juste avant de s'effondrer avec Bonnin sur la paille trempée d'urine et si rafraîchissante.

On leur distribue de l'eau, on les félicite pour cette première victoire, ils lèvent leur poing droit vers le ciel parce qu'ils savent que c'est ainsi qu'ils doivent faire, parce qu'ils y croient, soudain, à leur capacité de gagner la guerre. Ils avancent maintenant vers Hyères. L'exaltation s'est évanouie, les corps se traînent sur la route, ils titubent. Il leur faudrait récupérer avant de donner l'assaut au Golf-Hôtel, depuis lequel les Allemands ont stoppé l'avancée des chars en route pour Toulon, mais le temps presse, le commandement veut à tout prix éviter que l'ennemi reçoive du renfort. Les phrases sèches s'échappant des radios rebondissent sur les casques qui enserrent leurs crânes douloureux. À l'intérieur, bouillie, fournaise, odeur de chair brûlée, de viscères offerts à l'air libre, goût de sang, même pour ceux qui ne sont pas blessés. Abrutis, ils ne sauraient mettre des mots sur ce qu'ils viennent de vivre. Ce n'était plus un jeu, plus un entraînement, ils ont tué pour de vrai. Ils se demandent quelle est la différence avec des cibles en carton. Les images de la pinède en flammes et les cris des blessés les traversent et livrent leur réponse. Gorges brûlantes, langues assoiffées, oreilles sourdes, ils entendent tous des explosions, ils ne savent pas si c'est dans leur tête ou à quelques kilomètres d'eux que ça a lieu.

Bonnin, à la traîne, s'arrange pour remonter la colonne et se placer près de Jacob. Il lui sourit, reconnaissant pour tout à l'heure, quand Jacob l'a arraché à sa terreur et porté jusqu'à la ferme, il s'est senti protégé par ce garçon d'un an plus jeune que lui, en sécurité sur son dos comme sur les épaules d'un père, confiant, ne devant plus décider de rien, ce sont des choses qui ne se disent pas mais que Jacob comprend, il hoche la tête face aux remerciements muets de Bonnin et continue de marcher comme les autres, les yeux mi-clos pour filtrer la lumière blanche et la poussière soulevée par leurs godillots.

Le commandant du peloton contemple ses hommes épuisés, confirme dans sa liaison radio avec le quartier général, oui, ils se dirigent vers l'immense Golf-Hôtel en béton qui domine la vallée, ils le prendront par le nord et par l'ouest, le feront voler en éclats, réduiront l'ennemi à néant, mais d'abord, il leur faut dormir et manger, ou bien les soldats seront envoyés à une mort certaine, on peut se permettre de perdre des hommes pour une victoire, mais pas pour une défaite, l'accord est donné. Le mot halte frissonne le long de la colonne, les soldats oscillent, prêts à s'écrouler. À droite, dans la pinède, transmet Attali qui marche depuis la fin du combat près du commandant, avec l'expression candide et fière d'un garçon qui veut plaire à son père.

Les yeux de Jacob se dessillent, son regard s'accroche aux pins, se dissout dans le ciel bleu, comme l'air semble doux soudain, le silence même pas menaçant, troublé uniquement par l'activité inlassable des cigales, grillons, libellules. Une abeille bourdonne autour de son casque, elle fait halte elle aussi, entre un champ de lavande et sa ruche, Jacob a l'impression qu'elle essaie de lui dire quelque chose. Il pense, mais les abeilles n'ont pas de voix, elles ne parlent pas, c'est le frottement de leurs ailes qui produit ce son, et celui-ci le ramène dans les gorges du Rhumel, il y a quelques mois, il y a mille ans, il entend le fleuve couler, ôte son casque, se laisse glisser à terre comme les autres à l'ombre d'un arbre, ferme les yeux. Il s'est isolé dans une vision qui n'appartient qu'à lui seul pour nager, sentir le soleil sur sa peau, rêver en levant les yeux vers le pont suspendu qui se détache sur le ciel. Il enfouit sa tête dans le creux de son bras replié, l'abeille effleure sa joue, s'installe sur son front, qu'elle explore quelques secondes, le contact de ses pattes minuscules fait frissonner Jacob, caresse-moi le front, caresse encore, mais l'abeille, rebutée par la sueur qui s'écoule en filets scintillants sur les tempes du jeune homme, prend brusquement son envol.

Mets la radio, mon fils, demande Rachel à Gabriel. Il n'a pas le droit d'y toucher lorsque les hommes sont là, mais Haïm et Abraham sont à la cordonnerie, et lui est puni pour avoir volé hier une poignée de pistaches chez un marchand, le visage d'Abraham s'est congestionné quand l'épicier a fait irruption dans la cordonnerie, étranglant à moitié Gabriel en le tirant par le col, faisant honte à son père devant deux clientes ravies d'assister à l'affront. Il est resté à genoux toute l'après-midi, les mains sur la tête, tourné vers le mur avec interdiction de bouger, personne ne lui adressait un mot, les clients entraient et sortaient de la cordonnerie sans s'étonner de la présence de l'enfant dans cette position, et le soir, c'est dans la chambre des grands-parents, sous l'œil narquois de la tante Yvette, qu'il a reçu vingt coups de martinet des mains de son grand-père, la prochaine fois ce sera cent, tu sais compter jusqu'à cent ?

Il a passé la matinée à porter des litres d'eau bouillante pour aider Madeleine à laver le linge, puis il s'est plié en deux sous le poids des cuves à hisser sur la terrasse, et maintenant il prend son temps pour tourner le bouton de la TSF. Rachel caresse ses cheveux pour l'encourager à trouver la bonne fréquence, il prolonge la quête, retardant l'instant où une voix se raffermira dans le poste, Rachel lui lancera alors un regard gratifiant qui durera une seconde, il aura droit à une autre caresse, après elle le repoussera, lui demandera de se taire, il n'existera plus pour elle, ça y est, il a trouvé la fréquence. Rachel est tendue vers la voix qui grésille les mots patrie, libération, courage, héros valeureux, Toulon libre, Marseille libre, l'armée B du général de Lattre de Tassigny accumule les victoires, rien ne peut arrêter nos soldats dans leur progression contre l'ennemi allemand, les mots parcourent des milliers de kilomètres pour annoncer la gloire de l'armée française et de ses alliés, l'opération *Dragoon* est un succès, les forces françaises ont quarante jours d'avance sur les prévisions américaines. Le speaker parle trop vite pour Rachel, immobile dans le fauteuil de Haïm, elle goûte à cette liberté quand il n'est pas là, prendre sa place ou plus simplement reposer son dos, une main sur le poste pour encourager l'inconnu à prononcer le nom de Jacob, lui certifier qu'il va bien, qu'il est vivant, indemne, va bientôt rentrer. Dans son autre main elle tient la photo envoyée par son fils avant le départ, lui et ses trois camarades sur le *Normandie*, elle pense que c'est un vrai bateau et pas une mise en scène avec un faux bastingage, elle ne connaît d'ailleurs pas le mot, elle dirait plutôt une rampe. Jacob la couve de son regard clair et profond, il a quelque chose en plus par rapport à ses autres enfants, c'est indéniable, une gentillesse qui n'est jamais de la soumission, une faculté à être aimé de tous, à réussir là où les trois autres ont échoué, dans les études bien sûr, mais aussi dans la vie, tout simplement, privilégiant des relations aimantes et douces, contrairement à ses frères qui ont toujours l'air d'être en guerre les uns contre les autres, contre eux-mêmes, pas un repas de famille ou de fête sans que des reproches fusent, tu dépenses trop d'argent, tu n'aides pas assez les parents, vous vous croyez à l'hôtel, a-t-on demandé plusieurs fois à Abraham devant Madeleine qui rougissait. Jacob, lui, il a eu son baccalauréat, la lettre à en-tête du ministère de l'Éducation nationale est arrivée ce matin, Rachel a fait des youyous quand Gabriel la lui a déchiffrée, elle s'est aussitôt lancée dans la confection de beignets, des *sfériètes* légers en train de s'imbiber de sirop dans un saladier. Jacob les adore, il en avait fait une indigestion à sa bar-mitsva quand le coiffeur était venu à la maison lui couper les cheveux, il en avait mangé au moins vingt. Aujourd'hui, elle les a préparés pour fêter son diplôme, agir comme s'il était là, comme si sa voix allait bientôt résonner dans la rue et ses pas dans l'escalier, on ne sait pas, le cœur d'une mère peut des miracles, et les plats préparés de bon cœur ont de grands pouvoirs, c'est ce qu'elle s'est dit en battant les œufs d'une main énergique, répandant la farine en pluie fine pour éviter les grumeaux. Les grésillements s'intensifient dans la radio, un sifflement aigu les remplace, réveillant

Camille et Fanny qui somnolaient sur leur matelas, terrassées par la chaleur de ce mois d'août, Ginette pleure, c'est leur nouvelle petite sœur depuis quelques semaines, elles étaient deux dans le ventre de Madeleine mais Ginette est rentrée de l'hôpital seule, l'autre petite est morte pendant l'accouchement, c'est peut-être mieux comme ça parce qu'ils auraient pas su où la mettre et il y aurait eu deux fois plus de pleurs dans l'appartement. Madeleine s'affole, sent sur elle le regard de Rachel qui lui reproche les gémissements de son enfant, elle la plaque contre elle en lui fourrant de force le bout de son sein dans la bouche, mais la petite secoue la tête, résiste, elle ne veut pas manger, elle n'a pas faim, ce n'est pas à cause de ça qu'elle pleure. Tais-toi *binti*, murmure silencieusement Madeleine en la berçant-secouant, la vie est déjà bien trop dure comme ça. Elle dévisage Gabriel qui essaie de retrouver la fréquence de la radio pour Rachel, il a faim, demande s'il peut manger des *sfériètes*, non, lui dit sa grand-mère, pas avant le retour des hommes, va boire de l'eau, la faim te passera. Gabriel serre les mâchoires, on dirait qu'il a envie de tuer, et pas forcément des Allemands.

Ils ont libéré Toulon, ils ont libéré Marseille, partout on leur a fait un triomphe, en quelques instants ils passaient des combats aux rues en liesse, comme on passe d'un pays à un autre en une seconde dans un film. La première fois, ils ont été surpris, la joie, la fête, les applaudissements, les enfants et les filles qui leur sautaient au cou, les hommes qui leur donnaient des accolades, certains disaient en montrant les tirailleurs sénégalais, regarde les Africains, ils sont vraiment très noirs. On voulait les prendre en photo, on leur tendait des bonbons et des fleurs, ils souriaient, remerciaient, découvraient la fierté des héros acclamés, ils avaient l'impression que la guerre était finie, qu'ils allaient s'arrêter là, mais il avait fallu repartir, remonter la vallée du Rhône jusqu'à Lyon, qu'ils ont libéré aussi, aidés de l'intérieur par les Résistants, et c'est dans un cabaret de Caluire que Jacob rencontre Louise. Elle a seize ans, en paraît vingt, porte des cheveux courts aux épis rebelles et soyeux, elle tourne autour des soldats en les fixant d'un air grave, elle a repéré Jacob à qui les autres ont demandé de chanter.

Il commence par son répertoire classique, Piaf et Chevalier, et puis les soldats musulmans sortent comme par magie des darboukas de leurs manteaux, martèlent les peaux tendues du bout des doigts, on croirait qu'ils les effleurent à peine mais les claquements s'emballent et emplissent la pièce. Jacob chante une chanson de Salim Halali, *Dour biha ya chibani, dour biha*, *Tourne, mon vieux, Danse et tourne autour d'elle, Elle est riche, la belle, Et tu feras des envieux, Sellez mon cheval, Avec de beaux harnais, Que ma monture soit digne, De la reine Halima, Sellez mon cheval, Eau fraîche et citron, Que ma monture soit douce, Pour la reine Taous, Sellez mon cheval, Amenez les cadeaux, Que ma monture soit belle, Pour la reine des rousses,* tout le monde dans le cabaret frappe dans les mains, bat la mesure, les musulmans restent concentrés sur leurs percussions, ils galopent sur des chevaux qu'une demi-seconde d'inattention pourrait faire basculer dans une chute tragique. Les clients sont enchantés par ce rythme qui ne leur laisse pas le choix, ils découvrent que la musique peut les mettre en transe, la voix de ce jeune homme électrise leurs émotions et leurs désirs à fleur de peau, on danse sur les tables, sur le comptoir, des couples s'embrassent à pleine bouche. Louise continue de fixer Jacob qui a enchaîné sur une chanson de Cheikh Raymond, *Layali Surour*, ses camarades la connaissent par cœur, il leur suffit d'un titre lancé par Jacob pour se lancer à sa suite. Il ressemble tellement à mon frère, pense Louise, il doit être juif, alors quand Jacob salue la foule, entre Attali et

Ouabedssalam qui le congratulent, Louise se faufile, pousse les hommes et les femmes qui lui barrent le passage, les femmes surtout veulent approcher le chanteur à la gueule d'ange, mais rien ne peut arrêter Louise, elle en a vu d'autres, elle parvient jusqu'à Jacob qu'elle tire par la manche en lui disant tout de go, tu chantes bien, tu es Juif ? Jacob s'étonne de la question, la prend pour un garçon, avant de distinguer le renflement de ses seins dans l'échancrure de sa chemise, il remarque qu'elle n'a qu'une oreille, une horrible cicatrice boursouflée dessine l'absence de l'organe côté gauche. Louise a l'habitude que les regards se posent là, elle porte machinalement sa main à la cicatrice, tu vois, même en entendant qu'à moitié je sais que tu chantes bien, je peux boire moi aussi ? Jacob lui tend son verre de whisky, intrigué par cette fille, pourtant il en a vu des centaines depuis qu'il a débarqué en France, il y a quinze jours à peine, il s'est habitué à ces peaux plus claires que celles de chez lui, à cet accent plus doux, plus chantant, un pépiement d'oiseau qui perd ses notes aiguës au fur et à mesure qu'ils remontent vers le nord. Laisse-moi embrasser le beau chanteur, dit une fille en écartant Louise. Jacob se laisse faire, des lèvres de filles contre les siennes, il en a connu à chaque ville libérée, il ne ressent rien, c'est comme serrer une main, la fille lui demande son prénom au moment où Jacob pose la même question à Louise et les deux réponses se superposent, Louise, Jacob, mais mon vrai nom c'est Léa, ajoute Louise, sauf que plus personne ne sait que je m'appelle comme ça, on va dehors ? Jacob repousse gentiment l'autre fille qui a passé son bras autour de son cou mais se met déjà en quête d'un autre soldat, et il se fraie un passage vers la sortie avec Louise. Il lui propose une cigarette, elle acquiesce d'un mouvement bref du menton, ils fument en silence, assis sur le trottoir. Louise possède une façon impérieuse d'exiger sa présence, Jacob hésite, demande, qui t'a fait ça, elle répond, tu ressembles beaucoup à mon frère, où est-il, demande encore Jacob, je ne sais pas, tu es seule ici, oui, et tes parents, tu me donnes une autre cigarette, elles sont bonnes.

Jacob sort le paquet de Camel de sa poche en précisant qu'elles sont américaines. À la lueur de la flamme, la cicatrice de Louise prend une teinte rouge brique, ses longs cils projettent des ombres fines sur ses cernes, ses lèvres bois de rose s'arrondissent autour de la cigarette. Elle soutient le regard de Jacob qui la dévisage, passe sur les pommettes hautes nimbées d'un duvet doré, descend vers le cou gracile, remonte vers les yeux sombres au fond desquels une lueur l'appelle. Louise tire une bouffée sur sa cigarette, puis la glisse doucement entre les lèvres de Jacob, la reprend entre ses lèvres à elle, le jeu dure quelques instants, leurs salives se mélangent trop peu pour qu'ils puissent en saisir le goût mais suffisamment pour qu'ils perçoivent une humidité différente, Louise écrase la cigarette par terre et se lève brusquement, elle s'éloigne sans chercher à savoir si Jacob la suit, elle n'a aucun doute, et il est là en effet, il glisse son bras autour de sa taille, sent les hanches de la jeune fille saillir sous le pantalon d'homme, on dirait Gavroche, pense-t-il, ou Éponine qui s'habille en garçon pour aller sur les barricades. C'est la première fois depuis des mois qu'un souvenir de lecture s'impose à lui naturellement, sans qu'il l'ait cherché, des mots de Victor Hugo se faufilent dans sa tête,

Vous qui ne savez pas combien l'enfance est belle
Enfant ! N'enviez point notre âge de douleurs,
Où le cœur est tour à tour esclave et rebelle,
Où le rire est souvent plus triste que vos pleurs.

La voix de Louise rejoint la sienne et poursuit, comme s'ils avaient mis au point leur duo depuis longtemps,

Votre âge insouciant est si doux qu'on l'oublie !
Il passe, comme un souffle au vaste champ des airs,
Comme une voix joyeuse en fuyant affaiblie,
Comme un alcyon sur les mers.

Tu sais ce qu'est un alcyon, s'interrogent-ils en même temps, la voix teintée de la même fierté de savoir. Louise a un petit sourire, ils continuent de descendre vers la ville, empruntent un passage qui s'enfonce entre les immeubles, dévoilant des cours intérieures gigantesques et sombres comme des grottes qui impressionnent Jacob, on les appelle des traboules, dit Louise, elles m'ont sauvé la vie. Jacob ne cherche pas à savoir comment, il a compris qu'il n'obtiendra pas de réponse, plus tard peut-être, pour l'instant Louise s'oriente dans le labyrinthe comme une belette avisée, elle a accéléré, forçant Jacob à faire de même. Il a renoncé à la tenir par la taille, on ne croirait plus deux jeunes amants en promenade mais plutôt deux soldats arpentant un quartier général, Louise grimpe les marches d'un escalier où le plâtre arraché par endroits dessine des nuages lépreux, elle pousse une porte sur un palier, Jacob sur ses talons.

La lampe à pétrole éclaire à peine une chaise, une table, un lit en fer d'une place, un vélo posé contre le mur, quelques vêtements soigneusement pliés par terre. Dans le dénuement de la pièce, loin de la foule, Louise paraît plus petite et fait soudain son âge. Embarrassé, Jacob ne sait plus comment ils sont arrivés là, ni pourquoi, si, ils savent tous deux pourquoi mais ils ne l'ont pas formulé, elle lui dit, assieds-toi. Il ôte sa vareuse et tire la chaise vers lui, non, sur le lit, il s'exécute, le sommier émet des gémissements étranglés, un matelas défoncé le recouvre, mais il semble moelleux à Jacob qui avait oublié qu'on pouvait rejoindre la même chambre chaque soir et se lover dans le même lit. Louise s'est agenouillée pour défaire les lacets de ses godillots, il est gêné, elle sent la raideur qui s'est emparée de lui, elle se justifie, ça m'amuse de défaire les lacets, je ne sais pas pourquoi. Il contemple les doigts agiles qui s'activent sur les lanières, troublé par leur mouvement décidé, se demandant si elle va lui ôter ses chaussettes aussi et le déshabiller tout entier. Mais elle s'assied près de lui une fois sa tâche terminée, il saisit ses mains, se penche pour les embrasser et reste là, la tête sur ses cuisses, attentif au ventre qui se soulève à chaque inspiration, prêt à l'accueillir. Un geste de lui, d'elle peut-être, ils basculent et s'allongent, serrés l'un contre l'autre, l'étroitesse du lit ne leur laisse pas le choix. Les odeurs de leurs vêtements s'unissent, huile, sueur, savon noir, leurs souffles se mélangent, alcool et sucs de jeunesse, ils restent ainsi plusieurs secondes sans bouger, puis leurs mains se hasardent sur leurs visages pour en dessiner les traits qu'ils n'avaient fait que regarder, découvrent le grain de leur peau. Il embrasse encore ses doigts, c'est tout ce qu'il ose faire, tu ressembles à un petit oiseau, à une grive, Louise, tu connais la chanson qui porte ton nom, non, elle ne connaît pas. Jacob se redresse un peu pour s'accouder, *Every little breeze seems to whisper « Louise », Birds in the trees seem to twitter « Louise », Each little rose tells me it knows I love you, love you*, il chante lentement en détachant le prénom Louise, transformant la mélodie guillerette en un chant profond et grave. Mais je t'ai dit que c'était pas mon vrai prénom, je m'appelle Léa, tu connais une chanson où on parle d'une Léa ? Non, il ne voit pas, et elle semble si déçue qu'il aimerait en inventer une, mais les mots ne viennent pas, il peut chanter ou se taire, ils se taisent.

Elle dans le creux de son épaule, tous deux immobiles, ils goûtent au silence à deux, aux corps arrimés, tu viens d'où, demande Louise, il répond Constantine. C'est où ? En Algérie. C'est loin alors. Pas tant que ça, on a mis un jour et une nuit en bateau, moi aussi avant je pensais que la France était loin. C'est comment, là-bas ? Il dit, la ville est construite sur un rocher, entouré par un fleuve extraordinaire. À un endroit, il y a des sources chaudes, elles jaillissent dans des piscines de pierre, tu es comme un roi dans son bain. Au-dessus, des ponts enjambent le fleuve, il y en a six. Le plus haut, c'est le pont Sidi M'cid. Parfois il y a des nuages en dessous. Tu es dans le vide mais tu ne tombes pas. Tu as peur mais rien ne t'arrive. Tu vas d'un point à l'autre, tu traverses le ciel, penses qu'il peut s'écrouler, qu'il va s'écrouler, surtout quand une voiture ou un camion passe, il tremble, tu trembles avec lui. Louise l'interrompt, j'aimerais voir un pont comme ça un jour, tu as tué beaucoup d'Allemands ? Je ne sais pas, je crois, dit Jacob, qui voudrait esquiver les questions de la même manière qu'elle. Il se demande, qu'est-ce qu'on va faire maintenant, s'embrasser, et puis ensuite ? Par-dessus l'épaule de Louise, il fixe le vélo, détaille le cadre rouillé, la selle écorchée sur le côté, ça le rassure. Jean-Claude, le fils du marchand de disques, lui a prêté plusieurs fois son vélo, Constantine est la ville idéale pour ça, y a des rues en pente pas possibles, il a connu l'envol avant la chute, il se relevait, même pas mal, les roues du vélo couché sur le flanc un peu plus loin continuaient de tourner et il remontait, il aimerait bien faire du vélo avec Louise dans les rues de Lyon libéré, il pédalerait en danseuse, elle le tiendrait par la taille, ce serait plus simple que d'être dans un lit et de ne pas savoir très bien quelle attitude adopter, de ne pas savoir grand-chose d'elle, et cette oreille, qui l'a coupée, elle lui a dit tu es juif, tu ressembles à mon frère, elle est donc juive elle aussi, ça le surprend, elle ne ressemble pas aux juives de Constantine. Son corps osseux, son teint pâle et ses grands yeux sombres presque sans expression, ou bien trop chargés d'expressions différentes pour en laisser filtrer une, accolent une nouvelle image au mot fille. Elle passe ses doigts dans ses cheveux, ils ont poussé depuis le débarquement, les mèches châtaines recommencent à onduler légèrement, Jacob ferme les yeux, le contact des doigts de Louise sur son crâne lui donne des frissons, tu as la chair de poule, tu as froid demande-t-elle, non, il répond, et le murmure est si réservé, si poli, que l'ombre d'un sourire se dessine sur les lèvres de Louise, et maintenant il peut, ça paraît simple. Il pose ses lèvres sur les siennes, leurs langues se rejoignent, les pensées paralysantes de Jacob, chassées par la nouvelle sensation, se coulent sous la porte de la petite chambre pour aller se dissoudre dans les traboules. Louise déboutonne sa chemise, enfouit son visage dans sa poitrine, il glisse sa main sous sa chemise à elle, parcourt ses hanches, ses côtes, éprouve pour la première fois la rondeur des seins, leur douceur, il voudrait y coller son visage, il ose en tremblant et ce contact fait circuler son sang plus vivement dans son corps, il est soulevé par un élan stupéfiant, la serre contre lui et ce n'est pas assez fort, leurs bouches se confondent encore. C'est donc ça, l'amour, les langues qui apaisent une soif insoupçonnée, c'est donc ça, une femme, un corps qu'il devient urgent de broyer pour y plonger et le submerger à la fois. Leurs mains cherchent à saisir l'autre, épaule, dos, visage, torse, leurs dents se cognent, ils s'immobilisent une seconde, rient ensemble de leur maladresse, la complicité l'emporte sur la gêne, ils s'agrippent l'un à l'autre, Louise, Jacob, non, appelle-moi Léa, Léa, Léa, ils répètent leurs prénoms entre deux baisers. C'est la première fois que je tiens une femme dans mes bras, songe Jacob, est-ce ma peau qui est si douce et je l'ignorais, est-ce la sienne ou bien le prodige des deux réunies, il ne peut répondre, ne peut plus penser, les mots le quittent en désordre dans un bruissement d'ailes ahurissant, son sexe durcit encore, Louise descend sa main vers son bas-ventre et le guide en elle, il gémit, cueilli de plein fouet par le contact qu'il découvre, il s'y arrache pour mieux entrer en elle, la sentir, la sentir encore, humide et tendre, il lutte, de crainte de perdre ses moyens, lesquels, il ne sait pas, il craint de perdre tout court, d'être vaincu par ce désir inouï entre les jambes, il veut le garder en lui, dans son corps affolé, il veut s'en débarrasser aussi, arriver au bout de cette course, de toute façon il ne décide de rien, fauché par le déferlement qui le parcourt de la racine des cheveux à la pointe des pieds, Louise le serre contre elle comme si elle n'allait plus jamais le lâcher.

Toute la nuit, comme dans la cale d'un bateau, bercés, endormis, réveillés, baisers, caresses, phrases sans début, sans fin, ils ne se souviendront pas de ce qu'ils se sont dit, ce sont des paroles de rêve, de fièvre, mais les gestes impriment en eux une tendresse indélébile, modèlent leurs corps, creusent leur empreinte. Au petit matin Jacob retourne se perdre dans Louise, sa moiteur lui donne le vertige, elle garde les yeux ouverts, elle est la première à découvrir cette expression suppliante et affolée sur son visage, elle ignore qu'elle sera la seule, et soudain, des marques d'étonnement le saisissent, tous ses muscles se relâchent brutalement, elle le reçoit en elle, inondée d'un doux orgueil.

Quelques minutes, c'est ce qu'il leur reste pour se faire des baisers d'oisillons, Jacob embrasse la peau incroyablement fine autour de la cicatrice de Louise, elle presse sa tête dans une supplique muette, il pose ses lèvres sur les plis boursouflés, effleure les sillons, noie sous sa douceur la blessure laide, recousue manifestement à la hâte. Louise ferme les yeux de gratitude, ils ne se disent pas qu'ils se reverront, ils savent que ce serait un mensonge terne et vain.

Quand il passe le pas de la porte et se retourne une dernière fois pour lui sourire, elle lui dit, tue des Allemands, Jacob, tue-les tous, jusqu'au dernier, promets-le-moi, même si tu dois mourir pour ça.

Le froid et la pluie se sont abattus sur eux, la forêt des Vosges a une teinte sinistre de novembre et insuffle dans leurs poitrines la certitude qu'ici, les combats seront plus durs qu'en Provence. Ils sont tous miraculeusement vivants, Attali, Ouabedssalam, Bonnin et Jacob, grelottants et vivants, affamés et vivants, ils ont avancé si vite que le ravitaillement peine à leur parvenir, les rations ne suffisent pas à calmer leur appétit qui grandit au fur et à mesure que le froid les pénètre. La prochaine bataille sera décisive, leur a-t-on dit, il s'agit de libérer l'Alsace. Ils veulent bien le croire, même si on leur répète la même rengaine depuis la veille du débarquement. De Lattre de Tassigny les a félicités à Lyon, il a serré la main de Bonnin qui était au premier rang sur la grande place, les autres étaient derrière, il leur a dit, vous faites honneur à la France, je compte sur vous, pour preuve, désormais on vous appelera la 1re armée puis il leur a tourné le dos et aujourd'hui, le ciel gris et la pluie les plombent. Attali a cessé de faire des plaisanteries accompagnées de mimiques équivoques sur la rencontre amoureuse de Jacob, Ouabedssalam, plus taiseux que jamais, contemple avec un air de reproche la boue dans laquelle leurs pieds s'enfoncent, Bonnin claque des dents, pense à Haddad qui a sauté du bateau dans le port d'Alger, l'ont-ils rattrapé, a-t-il été condamné à mort ou bien est-il à l'abri, coupable et heureux d'avoir échappé à ce qu'il était le seul à pressentir ?

Jacob essaie de faire surgir le visage et le corps de Louise. Il ne s'est pas lavé depuis sept jours, son uniforme irrite sa peau durcie par le froid, il ne pourrait pas la prendre dans ses bras maintenant, il est trop sale, et de toute façon, elle est devenue aussi irréelle que les semaines écoulées depuis qu'il a quitté la caserne de Constantine, chaque jour effaçant le précédent, l'engloutissant dans des nuées brumeuses. C'est seulement le soir, avant le sommeil, qu'il pose les mains sur son visage en pensant, c'est les mains de Louise, il les embrasse en cachette, ne ressent rien de comparable à ce qu'il a éprouvé auprès d'elle mais au moins, il lui semble tenir ainsi la preuve qu'ils ont été l'un contre l'autre, l'un dans l'autre, une nuit.

Quand ils pénètrent dans la forêt, le sergent-chef leur fait signe d'éviter tout bruit. Le silence est plus angoissant que les combats, il n'est jamais quiétude, toujours menace, l'ennemi paraît reprendre des forces au fur et à mesure qu'il bat en retraite, ils l'imaginent reculé plus au nord pour mieux les attirer dans un piège glacé, il a une supériorité indéniable, connaît parfaitement le terrain qu'eux découvrent au fil de leur progression, cette France qui ne se résume pas à Paris, dont ils rêvent, où ils se disent qu'ils iront après la victoire, la vraie, l'ultime, car il leur arrive malgré tout de rêver, le soir, autour d'un feu, et parfois aussi après un combat, alors qu'ils se sentent vaincus même s'ils ont gagné, mais les morts dans leurs rangs disent que la victoire, pour certains, est une défaite, ils le savent, ils y pensent tout en s'interdisant d'évoquer les camarades disparus, ce serait céder à l'appel d'une tristesse sans fond et sombrer dans la folie qui quelquefois s'empare d'un soldat, le précipite vers un champ couvert de mines ou dirige son arme contre sa tempe, ils ont vu ces choses, ils se sont laissé aller à mouiller leur pantalon avant un combat, sentant entre leurs cuisses la chaleur qui les ramenait à l'enfance, aux nuits douces et honteuses où ils trempaient leurs draps, tout ça, ils le savent, ils le gardent en eux, leurs narines frigorifiées ne distinguent même plus les effluves d'urine qui imbibent leurs vêtements, les seuls mots qu'ils sont capables de dire c'est, avant, tu te souviens quand on allait faire cuire le pain pour nos mères chez le boulanger, il avait le visage rougi par la chaleur du four, on disait qu'on allait au diable, et la scène brille dans leurs têtes, éclipse le campement, aussi nette et insaisissable qu'un mirage, ils disent après aussi, après la guerre je mangerai une épaule d'agneau, la faim qui les tenaille leur donne cette envie de viande grillée juste avant le combat, quand Jacob crispe ses orteils dans ses chaussures pour faire circuler le sang, quand il compte ses pas jusqu'au prochain arbre, pair, il survivra au feu, impair, il succombera, les chiffres s'enchaînent, un, deux, trois, il triche souvent pour atteindre un chiffre pair, allonge ou ralentit son pas, peut-être que ça lui porte chance malgré tout, quatre, cinq, son cœur s'emballe dans le silence de la forêt des Vosges qui exhale un parfum de feuilles mortes et de champignons.

Le corps d'un soldat est projeté à plusieurs mètres, parfaitement coupé en deux, jambes broyées d'un côté, torse de l'autre, son visage brûlé s'est figé en un masque stupéfait, d'autres mines explosent, les hurlements se joignent aux tirs qui les visent, courir penché, tirer, ne plus agir que par instinct, il n'est pas d'autre dieu que Dieu, psalmodie Ouabedssalam en armant son fusil, il n'est pas d'autre dieu que Dieu, répètent tous ses camarades musulmans, et les autres aussi en appellent à Dieu, à leur mère, chacun dans sa langue d'enfance ou de prière. Jacob avise un hêtre au tronc plus large que les autres, il se dissimule pour repérer la provenance des tirs, un Allemand là, il tire, un autre, petit et gros, il tire encore, l'autre encaisse la balle, recule, vacille tel un culbuto, encore cinq, encore dix, son fusil s'enraye, il tire sur le percuteur comme un fou, rien à faire, il rampe vers le buste calciné du soldat, arrache son fusil, fouille son ceinturon pour prendre ses cartouches, ses doigts tremblent, les balles sifflent autour de lui, sa nouvelle arme est couverte de sang, il en a plein les mains, mais au moins c'est un fusil-mitrailleur, il se fiche de gaspiller des balles, il arrose les Allemands en face comme il cognerait l'homme qui a coupé l'oreille de Louise, il en est sûr, c'était l'un de ceux qui veulent le tuer lui aussi maintenant, ils n'y arriveront pas, Bonnin, c'était Bonnin tout à l'heure, Bonnin le timide, le gringalet, il faisait de son mieux pour se donner des airs de dur, il partageait les colis que sa mère lui envoyait, des sablés au beurre, du fromage, et un jour des cerises à l'eau-de-vie qui les avaient remplis de joie, le sucre, l'alcool, la saveur des fruits rouges explosant sous leurs dents les avaient réchauffés et ragaillardis, mon Dieu, mon Dieu, aide-moi à tuer et à ne pas mourir. Des renforts surgissent, ce sont des tirailleurs marocains déjà croisés un peu plus au sud, les Allemands battent en retraite, on compte les morts, les blessés, ces corps épars, tels des tas de chiffons sales et brûlés, est-ce possible que ç'ait été leurs camarades ? Ouabedssalam a reçu une balle dans le bras, il hurle, ne me touchez pas, ne me touchez pas. Des soldats gémissent en arabe, Jacob aide l'infirmier à les comprendre, traduit, rassure, caresse un front, ne t'inquiète pas mon frère, on va te sauver, il a envie de vomir, de pleurer, de s'enfuir dans une cavité qui apparaîtrait miraculeusement entre les hêtres, le dérobant à son existence de soldat, le ramenant à une vie paisible, peut-être même à l'ennui des soirées d'hiver, mais la forêt le cerne comme un piège. Le visage barbouillé de morve, il flanque des coups de pied à un arbre avant de tomber à genoux sur la terre noire tapissée de feuilles pourries, devant le buste de Bonnin, il vomit enfin.

Et ils continuent d'avancer. Jacob, volubile, parle avec Attali pour vaincre la terreur qui l'a saisi un peu plus tôt. Le cadavre de Bonnin, c'est signe que la mort a réduit ses cercles autour d'eux, il faut aligner les phrases pour chasser cette image, cette pensée, ne laisser aucun interstice entre les mots, la panique a le pouvoir de s'infiltrer dans la moindre fissure. Ils reprennent leur conversation favorite, on les a bien eus, on y est presque, qu'est-ce que tu feras après, quand on rentrera chez nous, j'embrasserai ma mère, j'irai me baigner dans le Rhumel et puis j'irai boire une anisette place de la Brèche servie avec une magnifique kémia, je mangerai tous les plats de chez nous, tous les plats de fêtes qu'on a ratés, c'était Rosh Hashana il y a un mois, et Kippour, et Shavouot, ils ont dû se régaler là-bas, ma mère pour Shavouot elle fait du riz avec des boulettes, des petits pois et des artichauts, j'en prends toujours deux assiettes, c'est une tradition, dit Jacob, moi aussi je mangerai pendant des jours et des nuits, j'irai aux bains maures, je demanderai ma cousine Hannah en mariage, dit Attali, et toi, tu sais déjà avec qui tu te marieras ? Jacob bombe le torse, je veux connaître toutes les filles avant d'en choisir une. Ce n'est pas vrai, il ne pense qu'à Louise dont il ne connaît que le prénom, Louise lui allait mieux que Léa, même si elle insistait pour être appelée ainsi, Rachel n'aimerait pas voir son fils s'unir à une femme à l'oreille coupée et Jacob se ferme tout à coup, il n'entend plus les paroles d'Attali, il repousse la silhouette de sa mère pour s'adresser à la jeune fille aux côtes fines, j'ai tué beaucoup d'Allemands aujourd'hui, Louise, je n'ai pas eu pitié, c'était eux ou moi, c'était eux ou toi, alors je les ai abattus, un à un, je découvrais leurs visages au moment où ils mouraient et je les oubliais aussitôt, il faut déjà tant lutter pour garder en tête les traits des êtres aimés.

On va faire une halte près de Burhaupt, annonce le sergent-chef qui s'est retourné vers leur colonne où les morts n'ont pas laissé de vide, remplacés par les tirailleurs marocains, il faut prendre le village à revers, les Allemands s'y sont repliés.

Ils ont bu des litres de café une fois leur campement installé mais ça ne les empêche pas de dormir. Une neige précoce tombe sur les Français, sur les Allemands, sur tous ceux qui aimeraient que le jour ne se lève jamais pour ne pas avoir à se battre, sur tous ceux qui espèrent en finir vite, retrouver leur lit, le rythme régulier d'une journée, et qui savent au fond d'eux que demain, la semaine prochaine, dans un mois, ils devront encore tuer pour rester vivant, pour libérer la France, l'Europe, territoires si vastes lorsqu'on les parcourt à pied en grelottant. Jacob a pour une fois envie de dormir, malgré la mort de Bonnin, il a reçu un coup de poing dans la poitrine en voyant ce visage carbonisé criant l'horreur d'un homme transformé en viande, mais insinuant aussi que ce n'était plus lui, alors c'était comme s'il n'était pas mort, on pouvait croire qu'il avait simplement disparu, était peut-être à l'infirmerie, aux côtés de Ouabedssalam qui se faisait extraire la balle de son bras en serrant les dents, pendant que Jacob trouvait refuge dans le sommeil.

La lumière froide de l'aube caresse les rochers, fait miroiter les aplats, s'étend lentement vers les grottes qu'elle lèche sans parvenir à y pénétrer. À l'intérieur, c'est une nuit éternelle, la terre noire et glacée, un filet d'eau échappé du fleuve clapote, il fait frais, même en plein été, quand le soleil chauffe à blanc les haubans du pont et accable les corps qui osent l'emprunter. Aucune route ne mène à la passerelle, il faudrait escalader la roche à mains nues, se hisser jusqu'au sommet et entamer la traversée d'un point à l'autre, de l'hôpital vers la ville, mais pourquoi s'obstiner à grimper sur le pont s'il n'y a pas d'accès, autant pénétrer dans les gorges érodées par l'eau, patiemment, durant des dizaines de milliers d'années, l'eau du fleuve se fiche du temps qui passe, elle est le temps, se moque de savoir que le pont l'enjambe, il n'existe que pour les hommes qu'il faut mener du départ vers l'arrivée, sans cesse, la traversée dure dix minutes ou une vie. Jacob rejette la tête en arrière pour préparer son ascension, des ombres perturbent sa vision, il cherche en vain leur origine, c'est la vieillesse, pense-t-il, qui projette des taches brunes devant ses yeux, mais un frôlement sur ses cheveux l'alerte, des oiseaux volent au-dessus de lui, formant une couronne noire et mouvante. Jacob prend appui dans des cavités de la paroi, s'agrippe à des excroissances, il aime défier les rochers, tendre son corps toujours plus haut, mais son agilité a disparu, il est lourd, mesure le chemin parcouru depuis ce qui lui paraît des heures, quelques mètres à peine, il ne gagnera jamais le sommet, il est si las qu'il est prêt à y renoncer, après tout, il pourrait remonter le fleuve jusqu'aux piscines d'eau chaude, s'immerger dans la béatitude, mais une nécessité angoissante lui intime l'ordre d'atteindre le pont entre terre et ciel, entre les deux falaises, à l'endroit précis où une fissure lézarde le tablier de métal. C'est le soleil qui m'aveugle, songe-t-il, tandis que le pont se fend en deux dans un silence ouaté, les haubans s'arrachent en douceur, tels des fils de soie, le ciel semble s'ouvrir, appelant les oiseaux vers un autre horizon, ils disparaissent dans un sillage noir. Ce sont eux, se dit Jacob, eux qui l'ont détruit en cisaillant les câbles avec leur bec. Écrasé par un poids invisible, il se laisse glisser le long de la paroi, s'écorche les mains, les lèche jusqu'à plus soif, un goût fade de sang envahit sa gorge, le lit du fleuve est vide, sec, ne demeure plus qu'une longue cicatrice à sa place, un ruban de terre craquelée vérolé par des traînées de cailloux.

Il suit des yeux une grive qui sautille dans la neige, surprise elle aussi par la blancheur apparue trop tôt sur les collines du Sundgau. Elle cherche les siens, inquiète, et Jacob siffle doucement pour la réconforter, calme-toi, Louise, tu vas les retrouver. Traubach n'est qu'une étape de rien du tout avant d'aller libérer Mulhouse où ils viendront en renfort à la 1re DB. À la vue des deux positions allemandes marquant l'entrée du village, le sergent-chef pose un doigt sur ses lèvres et indique à la section de se scinder, six hommes à droite, six hommes à gauche. Attali et Ouabedssalam, déclaré apte au combat malgré sa blessure, se joignent à Jacob. Ils sont ensemble depuis le Hoggar et attestent les uns aux autres qu'il y a eu une vie avant les combats. Ils progressent en se dissimulant derrière les troncs d'arbre, terminent les derniers mètres en rampant dans la neige pour préserver l'effet de surprise. Jacob distingue des cages à lapin vides dans une cour, un enfant à une fenêtre lève une main dans sa direction, chut petit, ne dis rien, une silhouette se dessine derrière l'enfant pour l'entraîner précipitamment au fond de la pièce avant de fermer les volets. Un Allemand derrière sa mitraillette tourne la tête vers le bruit, un autre commence à tirer, l'assaut est donné, Jacob et ses camarades dégoupillent des grenades qu'ils balancent derrière les sacs de sable ennemis, le deuxième groupe fait de même, les mitrailleuses allemandes se taisent, ce n'est pas possible que le village soit si facile à prendre. Les hommes de la section avancent lentement, pointent leurs fusils à droite, à gauche, plissent les yeux pour voir malgré la neige qui s'est remise à tomber. Un chien aboie, quelqu'un tire dans sa direction, un feu nourri s'abat sur la section de toutes parts, les Allemands se sont cachés dans les maisons et les descendent comme du gibier, Attali court se mettre à l'abri dans le renfoncement de la boulangerie et repérer la provenance des tirs, il y est presque, mais une balle lui transperce le dos, l'impact le fait tituber, une autre traverse son cou. Attali, crie Jacob qui le traîne jusque dans le renfoncement pendant que Ouabedssalam le couvre. Jacob soutient Attali, presse ses mains sur les blessures, essaie d'endiguer les flots de sang projetés sur lui par à-coups, des jets rouges, la vie d'un homme, Attali, tu m'entends ? Les lèvres blêmes d'Attali bougent mais aucun son n'en sort, il grimace, toutes les expressions se reflètent sur son visage comme sur celui d'un nourrisson, perplexité, colère, béatitude, malice, effroi, Jacob répète son nom, mais Attali ne réagit plus. *Écoute Israël, l'Éternel est notre Dieu, l'Éternel est un,* la seconde où l'on meurt est infiniment brève, pense Jacob, sonné.

Cette nuit, ils vont dormir dans un vrai lit. Les habitants de Traubach ont proposé de les loger, ils ont dit, les Allemands, hier, réquisitionnaient nos maisons, on peut bien vous les laisser maintenant. Leur joie tranche avec l'accablement des soldats qui se sentent obligés de sourire, de participer au soulagement général, la guerre prend fin sur leur passage, même si eux doivent la poursuivre, la pousser dans ses derniers retranchements. On leur sert un repas chaud, une viande en sauce délicieuse, incroyablement tendre, c'est de l'agneau, demande Jacob, non, du porc, répond leur logeuse, on l'a tué tout à l'heure spécialement pour vous. Jacob et Ouabedssalam échangent un regard furtif. Ils craignent, en repoussant leur assiette, d'offenser la petite femme ronde aux cheveux ramassés en chignon qui les nourrit gaiement. Ils continuent de plonger leurs cuillers dans le ragoût mais avalent sans mâcher, en se forçant un peu, essayant d'oublier qu'ils sont certainement les premiers d'une longue lignée à enfreindre une règle sacrée, et puis ils oublient leurs réticences et mordent dans la chair fondante en s'étonnant presque qu'elle leur soit interdite.

Des serviettes nettes, de l'eau chaude, du savon blanc, ils n'en avaient pas eu depuis longtemps. Si propres qu'ils en sont désarçonnés, dans la chambre où un crucifix trône entre deux lits sur lesquels ils se laissent tomber, ils fixent le plafond. Ils ne peuvent pas dire Bonnin, ils ne peuvent pas dire Attali, ils ne peuvent pas dire on va tous tomber, et ce qui ne franchit pas leurs lèvres épaissit l'air de la chambre. Ouabedssalam se relève brusquement, étale sa serviette par terre et se prosterne en psalmodiant en arabe. Jacob n'ose pas le regarder, hésite à sortir, lui aussi devrait peut-être prier, *Arvit*, c'est le nom de la prière du soir mais il ne la connaît pas par cœur, et les bribes dont il se souvient n'ont pas de sens pour lui. Ouabedssalam au moins s'adresse à Dieu dans une langue qu'il comprend. Tout à l'heure, quand la salive d'Attali a commencé à couler, c'était plus fort que lui, Jacob a prononcé le *Shema* sans réfléchir et il a même fermé les paupières de son camarade, leur contact tiède, la peau fragile l'ont pénétré d'une nouvelle terreur. Ouabedssalam aussi ferme les yeux en priant mais lui il les ouvrira plus tard. Ils ne sont plus que deux maintenant et éprouvent chacun une haine farouche à l'égard de l'autre qui survivra peut-être, alors que lui, Jacob, ou lui, Ouabedssalam, est le prochain sur la liste des morts pour la France, ou le prochain après le prochain.

Ouabedssalam a fini, il replie sa serviette et

s'approche de Jacob, qui se tient la tête entre les mains. Il pose une main fraternelle sur son épaule, tu ne sais pas prier ? Un peu, mais je ne comprends pas ce que je dis. Tu devrais essayer quand même, ça apaise le feu à l'intérieur. Jacob secoue la tête, Ouabedssalam insiste. Alors chante, ça fait longtemps qu'on t'a pas entendu chanter, et Jacob fixe Ouabedssalam. Sa carrure trapue, son front bas, son air si souvent renfrogné ont mis du temps à lui devenir familiers, même s'il lui rappelait l'épicier en face de chez lui, même s'il a ce physique qui lui semble propre aux Arabes de Constantine, il se sentait plus proche d'Attali ou de Bonnin, et sa poitrine se contracte à leur souvenir. Pleure ou chante, Melki, tu as trop de malheur ramassé en toi. Tu vois, moi, j'ai prié pour mon fils, pour que je le voie grandir et qu'il devienne un homme droit, toi aussi tu peux trouver une raison de prier, laisse-moi, lui dit Jacob.

Les pauses entre les respirations de Ouabedssalam quand il dort sont toujours aussi longues, il faut croire que la guerre ne change pas entièrement un homme. Jacob s'en veut de l'avoir repoussé tout à l'heure, il se retient de le secouer pour lui demander pardon, lui dire ce qu'il raconte maintenant à la femme au chignon gris, devant un verre de kirsch, elle non plus ne dort pas, une première nuit de libération, ça donne des idées qui tournent dans la tête, et puis elle n'était pas tout à fait rassurée avec ces soldats à la peau trop brune sous son toit, deux Arabes, ils doivent aimer l'argent pour se battre ainsi, ils sont courtois cependant, se sont longuement essuyé les pieds avant d'entrer, elle s'est efforcée d'oublier ce qu'on raconte sur les militaires basanés, ils auraient volé, ils auraient violé, c'est la fermière qui le lui a dit, elle le tient de sa cousine qui habite Bourg-en-Bresse qui elle-même le tient d'une voisine dont la sœur est italienne, alors quand, crispée dans ses draps froids, elle a entendu des pas dans la salle à manger, elle a pris son courage à deux mains, allumé une chandelle et découvert l'un des soldats, le plus jeune, assis près du poêle, le poing droit serré sur quelque chose, une de ses bagues peut-être, mais non, elle les avait toutes à ses doigts, alors il avait dû trouver l'argent caché dans le grand pot à sucre. Elle a dit, je vais me faire une tisane, vous en voulez une, il a repoussé l'offre poliment, elle a mis l'eau à chauffer, plongé sa main dans le pot à sucre, l'argent était bien là, il n'avait rien piqué, elle s'est retournée vers lui pour lui sourire, soulagée, et c'est là qu'elle s'est aperçue qu'il pleurait. Viens, elle lui a dit, viens à table avec moi, et elle a sorti la bouteille de kirsch, une tisane, ça se refuse, mais pas un petit verre. Jacob a obéi, obéi était le mot juste, il voulait s'en remettre à quelqu'un, une femme de préférence, et celle-ci, Maryse, avec son visage large et rose, son chignon gris et sa chemise de nuit en laine, lui inspirait confiance. Il a pris place en face d'elle, a desserré son poing pour tenir entre le pouce et l'index la plaque d'immatriculation d'Attali, il a parlé, il parle, un camarade est mort aujourd'hui, un autre il y a quinze jours, je n'ai pas compté les morts que j'ai vus depuis qu'on a débarqué, est-ce qu'ils sont des dizaines, des centaines, je me suis dit chaque fois, tu ne le connais pas, tu ne sais rien de lui, tu ne connais pas sa voix, ne sais pas où il est né, ce qu'il aimait, ce qui l'effrayait enfant, ce qu'il voulait faire après la guerre, c'est comme s'il n'avait pas existé. On pouvait continuer d'avancer parce qu'on était ensemble, Attali, Ouabedssalam, Bonnin et moi, depuis le 22 juin, on était devenu une famille, alors la mort de Bonnin, la mort d'Attali, c'est pas comme les autres, c'est comme si un cousin ou un frère était tombé, comme si une partie de nous s'était arrêtée de vivre. Bonnin, il était un peu plus vieux que moi mais il me regardait comme si j'étais son grand frère, parce que l'âge, ici, ça ne signifie plus rien, il était toujours près de moi pendant les combats, il cherchait mon regard quand les armes se taisaient comme pour me dire, tu vois, j'ai réussi à passer entre les balles cette fois aussi. Quand mes mains ont gelé le mois dernier, il m'a donné ses gants, il a prétendu qu'ils étaient trop petits pour lui, j'ai pas essayé de savoir si c'était vrai, j'ai pas fait le poli qui refuse un cadeau, qui dit non, non, c'est pas la peine. Je ne pouvais plus me servir de mes mains, j'avais peur de ne plus pouvoir tirer, un soldat qui ne peut pas tirer, c'est comme un paralytique face à une meute de loups, mais lui, c'est peut-être parce qu'il avait froid aux mains qu'il s'est précipité dans la forêt l'autre jour, il voulait en finir avec le combat, atteindre le prochain campement, approcher ses mains d'un feu, c'est pour ça qu'il est mort, parce qu'il m'a donné ses gants. Je crois que je deviens fou, des idées me viennent, comme quand la fièvre vous prend, mes parents meurent sans que je les aie revus, ils sont vieux, ils m'ont eu tard, mon père a soixante-quatre ans, ma mère soixante, c'est un âge où les gens meurent, et moi, je suis bloqué ici, je ne peux pas rentrer, on me dit que c'est impossible, qu'il faut que je tue encore des Allemands, que je les tue tous, jusqu'au dernier, alors je déserte, comme Haddad qui a sauté du bateau dans le port d'Alger, je traverse la mer à la nage jusqu'à Philippeville et quand j'arrive à Constantine, je cherche le pont suspendu, c'est le plus grand pont du monde je crois, je n'en ai pas vu d'aussi haut depuis qu'on est en France. Mais quand je parviens au pied de la ville, il n'est plus là, les deux rochers se font face, comme fâchés, et il n'y a que le vide entre eux, un air brûlant et sec. Ici, le paysage est plus froid, il ressemble au mot campagne qu'on apprend à l'école, avec des images de vallées, de haies, d'églises, moi, là d'où je viens, c'est pas la campagne, c'est la montagne, des rochers nus, un fleuve qui entoure la ville et six ponts pour l'enjamber, on vit avec le vertige, on le guette et on le fuit, c'est un jeu qui commence avec la première traversée du pont suspendu, on l'appelle aussi la passerelle des vertiges, on n'oublie jamais ce jour-là, mais dans ces visions de fièvre, même le pont a disparu, j'essaie d'entrer dans la ville autrement, je mets du temps, je cherche ma rue, tout est pareil et je ne reconnais rien, je suis au milieu des gens et on dirait que je suis invisible, ou bien ils passent devant moi comme devant un chien galeux, en se détournant. Enfin je me retrouve en bas de chez moi, ma mère est au balcon, je lui fais signe, elle ne me répond pas. Je l'appelle encore, je lui dis, c'est moi, maman, je suis rentré, mais elle ne m'entend pas, ou ne me reconnaît pas. À ce moment-là je me dis, tout le monde m'a oublié, je ne peux pas monter, je ne vais pas frapper à la porte parce que ma mère ne sait plus qui je suis, je vais partir, je serai toujours seul, je n'aurai pas d'enfant et jamais personne ne se souviendra de moi, ne prononcera mon prénom, personne ne dira Jacob aimait les beignets, ça s'appelle des *sfériètes*, c'est un nom étrange n'est-ce pas, il paraît que je prononçais « des fêtes » quand j'étais petit, c'est un mot courant, mais maintenant que je le prononce ici, chez vous, c'est comme si c'était quelque chose qui n'existait pas. Dans mon unité, y avait plus qu'Attali qui pouvait comprendre, mais il est mort, et personne ne sait plus, à part moi, quel est le goût de ces beignets. Ma mère les fait tremper dans un sirop de sucre, quand elle a terminé je bois le sirop à même le saladier, elle me laisse faire, j'ai de la chance, je suis le dernier de la famille, le plus jeune, c'est une bonne place, on me laisse tranquille, je vous dis ça, mais ce n'est plus vrai, ici je ne suis le fils de personne, on ne m'appelle plus Jacob, on m'appelle Melki, ou soldat Melki, ou matricule 45 93 001073. Tu t'appelles Jacob, lui demande Maryse. Oui. Alors tu es juif. Oui. Elle le dévisage, entre peine et effroi. Pourquoi vous me regardez comme ça ? Elle secoue la tête. Jacob voudrait comprendre pourquoi le mot juif semble si effrayant dans la bouche de Maryse, il ne sait pas comment lui poser la question, qu'est-ce qu'on a fait aux juifs, ici, après les avoir chassés de l'école comme en Algérie ? Il contemple la plaque d'identification entre ses doigts, il dit Attali aussi était juif, mais pas Bonnin, ils me manquent tant tous les deux, je les languis, il ne faut pas dire comme ça, il faut dire je me languis d'eux, mais c'est comme ça que parle ma mère, c'est comme ça que parle ma belle-sœur, Madeleine, elle vient de Tunisie, elle a laissé sa famille là-bas pour se marier avec mon frère, elle n'est pas très heureuse chez nous, à chaque fête, elle éclate en sanglots dans la cuisine au moment de préparer un plat de chez elle, une saucisse avec du riz, de la menthe et de la coriandre, elle renifle et elle dit, je languis ma famille, vous croyez que je les reverrai un jour ?

Maryse hoche la tête en guise de réponse, verse une nouvelle rasade de kirsch, pousse le verre vers Jacob. Reprends un peu d'alcool, ça t'aidera à dormir, tu dois reprendre des forces.

Mais des forces, il ne sait même plus où en puiser quand décembre arrive et les dirige vers Thann. Ouabedssalam et lui marchent côte à côte, collés l'un à l'autre au milieu des tirailleurs marocains qui les ont complètement absorbés, une fois la section des tirailleurs algériens décimée, commandant et sergent compris, ils se disent qu'ils se sont trompés lorsqu'ils croyaient distinguer les scènes de leur vie d'adulte. Ils se voyaient sur la place de la Brèche, au café avec d'autres hommes, jouant aux cartes, se fâchant – les adultes ont l'air plus importants, plus sérieux quand ils se fâchent –, ils auraient écouté la musique de Cheikh Raymond en méditant sur leur femme, les saisons qui donnent de nouvelles couleurs au monde, la naissance d'un enfant qui bouleverse une vie, la mort d'un père, d'une mère, qui ébranle la famille, cause des fâcheries, libérant les mots jamais prononcés du vivant des parents, scellés, ils se sont trompés. Leur vie, à jamais, ne sera qu'une marche dans la neige, engelures aux doigts, lèvres gercées, et ce vent glacé qui les force à progresser en luttant contre, courbés comme des hommes de cent ans qu'on enverrait au combat en leur demandant toujours plus de vivacité, d'énergie, d'attention, de morts dans les rangs d'en face. Jacob n'avait jamais envisagé de tuer, la mort, pendant longtemps, a eu pour lui l'aspect terrifiant des poulets que l'on faisait tournoyer au-dessus des têtes, la veille de Kippour, avant de les égorger pour expier les péchés, c'était le jour des *Kaparot*, le sang coulait des cous maigres et blancs, les plumes voletaient, il fermait les yeux pour ne plus voir mais il entendait les youyous des femmes qui distribuaient des gâteaux, c'était la fête, comment la mort pouvait-elle être associée à la fête, comment le sang pouvait-il être source de joie, lui, ça le faisait frémir, il voulait fuir, se cacher, il ne savait pas alors que des hommes aux cous robustes et aux yeux clairs, il en tuerait des dizaines, sans une pensée pour eux, à des milliers de kilomètres de chez lui, sur une terre où il n'avait encore jamais mis les pieds, où il n'avait aucun souvenir mais dont le nom charriait des images nimbées de lumière dorée sur lesquelles Vercingétorix et Danton côtoyaient Napoléon. La France était un décor de livre d'histoire, un pays d'écrivains, de chanteurs de cabaret, de femmes qui fumaient des cigarettes sans qu'on les accuse de faire mauvais genre, c'est un autre pays qu'il avait découvert, des paysans à la langue incompréhensible, surtout dans cette région, ils ont un accent qui frotte, les *f* et les *v* se confondent. Pendant quelques années c'était l'Allemagne, ici, ils nous interdisaient de parler français, leur a dit une femme, c'était peut-être Maryse, à Traubach, ou Lucie qui les a fait éclater de rire en imitant les soldats allemands dans un cabaret, à Mulhouse, ou bien cette autre dans un village où, dans l'attente de leur arrivée, les femmes cousaient des drapeaux français en cachette des Allemands dans les caves et les greniers. Il a vu ces drapeaux bleu blanc rouge timidement sortis à l'embrasure d'une fenêtre, il a vu les mêmes en noir et blanc aux actualités, dans un cinéma de Mulhouse. Ces soldats libérant l'Alsace, c'étaient eux, on les montrait au combat, bâtissant des ponts avec le génie pour permettre le passage des troupes, roulant dans des camions ou marchant sur des routes gorgées de boue, bordées de véhicules allemands calcinés, gros plan sur les aigles vaincus dont la peinture s'écaillait ; on les montrait défilant dans des villes sonnées par les combats qui s'étaient déroulés sous leurs fenêtres avant de réaliser que l'Occupation avait pris fin et de fêter les libérateurs, ces images sur l'écran, c'étaient eux et pas eux, la voix du commentateur s'enflammait tant que Jacob avait eu envie de rire.

Sur les chemins escarpés des Vosges redevenues françaises, les chars poursuivent leur avance. Les forteresses à chenilles défoncent aujourd'hui les routes que caressaient naguère les voitures de tourisme. La marche vers l'est est commencée ! Des tanks roulent dans la campagne. *Partout où l'ennemi s'accroche, la lutte s'engage. À la lisière des forêts, aux débouchés des cols, l'artillerie motorisée crache son feu. Le bruit du canon rebondit de sapin en sapin, et de l'autre côté de ces collines, il va rouler sur la plaine d'Alsace comme un grand cri d'espérance. Nous arrivons ! Ils arrivent ! Les offensives se sont déclenchées toutes à la fois. Les dernières épines accrochées aux flancs de la France sont arrachées une à une. Les troupes françaises attaquent Héricourt qui livre aux libérateurs leur habituelle moisson de prisonniers.* Des soldats dans la rue, un homme marche mains en l'air, un soldat derrière lui. *En route encore à travers tous les obstacles ! À la nage, s'il le faut, on avance toujours !* Des motos et des camions de transport de troupes roulent dans cinquante centimètres d'eau. *C'est Montbéliard, maintenant, où une foule nouvelle acclame les vainqueurs et leurs chefs. Montbéliard où, une fois de plus, l'uniforme allemand est devenu un uniforme de captifs. Dans la plaine, les villages sont enlevés un à un. Les restes d'une armée qui n'a pu ni résister ni fuir lèvent les bras devant le vainqueur.* Deux femmes vêtues de noir hâtent le pas dans les rues d'un village en croisant des soldats encadrant quelques prisonniers. *On trouve encore dans les caves de quoi remercier les libérateurs, cependant que l'interminable colonne verte s'étire sur la route comme le paraphe d'une signature victorieuse.* Un paysan sert de l'alcool dans un verre à pied qu'il tend à un soldat dans un tank, tout en jetant un regard à la caméra. *Les incendies brûlent encore. Mais ces Français enfin libérés savent qu'il s'agit pour eux des derniers feux de la guerre.* Une femme pleure en plaquant un mouchoir blanc sur son nez. *On distribue aux civils le ravitaillement que l'ennemi se préparait à emporter, et l'on voit jaillir dans les villages les drapeaux jalousement cachés depuis cinq ans. En route encore ! Et maintenant c'est Mulhouse.* Bâtiments détruits. *Mulhouse, une de ces villes dont le nom fait frémir les communiqués. Là encore, la lutte sera rude. Il faut libérer la ville par une dernière bataille de rue, où le canon et le fusil se soutiennent l'un l'autre.*

Jacob avait scruté les images, guetté le prodige de se voir sur l'écran, il n'avait pas eu droit à ce dédoublement stupéfiant mais s'était senti fier parce que, dans la salle de cinéma, la foule s'était levée pour les applaudir, et l'idée l'avait effleuré de ne pas rentrer à Constantine, une fois la guerre terminée, de rester dans ce pays où des inconnus voyaient en lui un héros, peut-être retourner à Lyon et sillonner les rues pour retrouver Louise, une fille avec une oreille coupée, c'est pas commun, quelqu'un saurait lui indiquer sa maison, vivre ici, avait-il pensé, voir ces paysages autrement que glacés sous un soleil qui ne réchauffe pas.

Le ciel est d'un bleu époustouflant, la neige scintille en réponse, le commandant chuchote, ici, on fait du bon vin, quand on aura libéré Thann, je vous conseille d'y goûter, même ceux pour qui c'est interdit par la religion, je suis sûr qu'Allah fait une exception pour les vins d'Alsace. Ouabedssalam sourit et Jacob, qui a mal au ventre depuis ce matin, reprend soudain espoir. Les sourires de Ouabedssalam sont d'autant plus bienfaisants qu'ils sont comptés. Ils montent du plus profond de lui-même, ont pris naissance dans les bras de sa mère émerveillée d'avoir transmis la vie à un garçon, à dix-huit ans, elle était fière d'avoir donné un fils aîné à son mari malgré ses hanches trop étroites, elle le serrait contre lui comme un trophée de chair brune aux yeux noirs et brillants, faisait rouler des syllabes chantantes dans sa bouche, jouant avec les sonorités pour le faire rire. Ouabedssalam l'ignore, mais c'est dans ces instants-là que ses yeux se sont plissés à la manière de ceux de sa mère, pour les modeler à son image, c'est cette gaieté et cette bonté qui réchauffent parfois l'espace autour de lui, atteignant Jacob, qui redresse la tête vers les collines couvertes de ceps de vigne désolés tordant leurs branches comme des bras de vieillards implorant le ciel. Il s'efforce de les imaginer dans neuf mois, noyés sous les feuilles vert tendre, ployant sous les fruits, caressés par le soleil d'août. Pour l'heure, sur la rivière gelée qui traverse Thann, des canards cherchent un abri, avant de s'envoler, affolés par les tirs qui éclatent autour d'eux, c'est un autre combat qui commence, le dernier avant Noël, leur a-t-on promis, ils resteront ici afin de préparer l'offensive sur Colmar. On aime fêter Noël en Alsace, leur a dit le commandant, pourquoi pas fêter Noël, avait pensé Jacob, après tout je suis vraiment français maintenant, mais avant Noël il faut libérer Thann, en ce 8 décembre, trouver la force de courir, de repérer les Allemands, de tirer.

Pas le temps de tirer, une balle l'atteint à la jambe pulvérise son genou gauche une autre déchire l'artère fémorale il titube ce n'est pas possible je ne suis pas touché ce n'est rien il s'écroule son casque se détache s'écrase dans la neige sa tête heurte une pierre je vais me relever douleur dans le crâne brûlure ça fait du bien un liquide chaud l'enveloppe se répand sur lui le soleil est subitement voilé des ombres passent devant ses yeux les canards peut-être tout est si calme serait-ce déjà Noël ou même la fin de la guerre ?

Il n'entend pas Ouabedssalam qui hurle Melki est touché, il ne voit pas les camarades ramper vers lui pour le sauver, ils soulèvent son corps sur un brancard pour le porter à l'abri, l'infirmier de la section bande son genou, comprime les blessures, les mains rouges du sang chaud de Jacob dont le visage est blême, les lèvres violettes, figées, ses traits juvéniles soudain empreints d'une gravité insupportable.

II

Le 19 août, tandis que Jacob avançait avec la 3e D.I.A. vers le nord de Toulon, Madeleine avait accouché des jumelles à l'hôpital. La première n'avait pas eu le temps d'être nommée, elle était morte pendant la naissance, ou avant peut-être, le personnel de l'hôpital s'était dépêché de la soustraire au regard de Madeleine et lui avait tendu l'autre petite fille comme un lot de consolation, une poupée blonde aux yeux bleus qu'elle avait décidé de prénommer Ginette. Malgré l'absence de Jacob et l'espace ainsi libéré, ou peut-être à cause de cette absence qui rendait la présence des autres plus difficile pour Rachel, l'appartement du 15, rue du 26e de Ligne était devenu invivable. Abraham, Madeleine et les enfants avaient emménagé dans une chambre au sol en terre battue et rongée d'humidité, un peu plus bas, rue Chevalier. Il fait sombre comme dans l'antre d'un diable mais au moins, on est chez nous, s'était répété Madeleine en prenant possession des lieux, espérant par ces mots appeler sur elle un peu de répit. Mais elle n'en avait pas eu, même après que Fanny et Gabriel étaient rentrés à l'école, et Camille en classe enfantine. Ginette pleurait sans cesse. Plus elle grandissait plus ses pleurs s'intensifiaient, dans les bras, couchée contre le sein de sa mère, bercée dans un cageot posé sur la pédale de la machine à coudre. Madeleine avait pensé que son lait était mauvais ou qu'elle n'en avait pas assez, elle s'était résignée à demander du lait en poudre au dispensaire. C'était la première fois qu'elle nourrissait un enfant au biberon et elle en était désarçonnée, cela lui remémorait la première fois où elle était montée dans une automobile. Elle avait été surprise d'avancer sans effort, sans sentir le mouvement dans son corps. Ginette avait continué à pleurer et commencé à vomir. Marie, la voisine, n'en pouvait plus, elle frappait tous les jours à la porte des coups robustes et menaçants, parfois se postait dans le patio que tout le monde appelait la cour, les poings sur les hanches, et la seconde après, les bras levés, mains écartées en direction du ciel, criant pour que tout l'immeuble entende, j'en peux plus de la fille de Madeleine, elle me casse mes nuits. Fanny et Camille, qui l'épiaient par la fenêtre donnant sur le patio, étouffaient un rire et Madeleine pensait, c'est parce qu'elle est jalouse de moi, elle n'a pas d'enfants, elle en a marre d'être en tête à tête avec son mari, et elle continuait à masser la petite de la tête aux pieds avec de l'huile d'olive en insistant doucement sur les articulations, comme elle avait vu sa mère et ses sœurs le faire, comme elle l'avait fait avec les aînés, mais Ginette se calmait à peine quelques secondes sous les pressions palpant son corps nu avant de se remettre à crier de plus belle, ça les rendait tous fous. Fanny et Camille la prenaient dans leurs bras pour la bercer, elle hurlait, rouge, congestionnée, lançant ses membres minuscules dans toutes les directions. Gabriel se bouchait les oreilles en se balançant d'avant en arrière, et un jour, Madeleine l'avait surpris en train de la secouer en lui murmurant d'un ton suppliant d'abord, puis comminatoire, tu vas te taire, mais tu vas te taire enfin, et madame Attal, la propriétaire au regard affectueux et gai qui ne courait jamais après le loyer, était venue lui parler à ce moment-là, Madeleine, il faut que vous alliez voir mon beau-frère à l'hôpital, il est spécialiste des enfants.

Et le sort était tombé, les médecins appelaient ça un diagnostic, la petite avait une tumeur au cerveau, il fallait l'emmener à Alger se faire opérer. En ce mois de février, Madeleine avait laissé les enfants chez Rachel et était partie avec Abraham, c'était la première fois qu'elle se rendait dans la capitale, la première fois qu'elle partait en voyage avec son mari, sans savoir que ce serait la seule. Elle n'avait rien vu de la mer, des avenues blanches, des cafés innombrables, des toilettes des femmes, plus libres et plus élégantes qu'à Constantine. Elle n'avait pas entendu les airs de jazz qui commençaient à s'échapper des bars, était restée indifférente aux affiches du *Colonel Chabert*, des *Mystères de Paris*, de *Casablanca*, de *Citizen Kane*, de toute façon, elle n'était jamais allée au cinéma. Elle n'avait pas faim, elle n'avait pas soif, elle pensait à l'argent qu'il avait fallu dépenser pour le voyage et se demandait comment ils feraient au retour pour payer les deux loyers de retard, elle tenait dans les bras sa petite fille de six mois qui s'époumonait, mais où donc trouvait-elle cette force, dans quelle partie de son corps d'enfant tendu, alors que Madeleine titubait de fatigue et d'angoisse, traversée par des sentiments contradictoires envers les médecins qu'elle redoutait. Les pensées dansaient dans sa tête comme des rubans sombres, on ne comprend jamais ce qu'ils disent, ils peuvent faire de vous n'importe quoi, ils ont la capacité de vous endormir et ils possèdent alors tous les pouvoirs, ils vont jusqu'à ouvrir la tête et y faire ce que bon leur semble, on raconte qu'ils détraquent les gens exprès pour faire des expériences. Mais dans le même temps ce sont des gens instruits, et parfois, l'un d'eux s'adresse à vous si gentiment que les larmes vous montent aux yeux. Alors elle avait décidé de leur faire confiance. Ils pouvaient sauver Ginette, qu'elle avait regardée s'éloigner vers le bloc opératoire, minuscule paquet gigotant sur son brancard, et elle avait prié en arabe, *Ya rabbi sidi !* Abraham ne disait rien, mal à l'aise face à ces hommes qui parlaient trop bien français, et si vite qu'il comprenait à peine un mot sur dix, le crâne saturé d'un brouillard qui paralysait ses capacités de compréhension. Il regrettait d'avoir mis son costume de fête et son chapeau pour venir à Alger, il transpirait et se sentait ridicule parmi ces médecins en blouse blanche, qui n'avaient rien pu faire, aussi impuissants à sauver une vie qu'Abraham à affronter la sienne, il avait encaissé la nouvelle le visage figé, une envie irrépressible de boire picotant sa bouche, ne plus rien éprouver d'autre que l'alcool dans sa gorge, dans ses veines, la boisson qui soulage presque instantanément, gagne si vite les muscles, les détend. Il avait planté là Madeleine, lui intimant de retourner à l'hôtel tout proche, de l'y attendre, de ne surtout pas sortir seule. Elle avait haussé les épaules, qu'il aille où il veut, au café ou au diable, qu'il se réfugie où bon lui semble, avec lui ou sans lui elle était seule au monde en cet instant, coupable, elle ignorait de quoi mais cette mort était de sa faute, certainement, c'était elle qui avait porté l'enfant, l'avait fabriqué avec ses entrailles, avec son sang, le sang de mon sang, la chair de ma chair, mes yeux, ces mots qu'elle employait pour dire l'amour porté aux enfants sans jamais utiliser le mot amour, sans se rendre compte de leur ombre effrayante, les prononçant avec des nuances de rage et de défi dans la voix. Les enfants venaient d'elle, étaient à elle, eux, au moins, ne la trahiraient jamais, ne la laisseraient jamais seule comme Abraham dès le lendemain de leur mariage, quand il l'avait enfermée dans un appartement prêté pour la nuit avant d'aller travailler, comme Abraham chaque jour que le bon Dieu faisait, comme Abraham ce jour où Ginette était morte sur la table d'opération, elle avait senti alors au fond d'elle pousser cette certitude, son seul espoir de survie : ses enfants l'aimeraient toujours, la chériraient toujours, et tandis qu'elle venait de perdre le cinquième enfant sorti d'elle, elle pensait aux trois autres, Gabriel, Fanny et Camille restés à Constantine avec la famille, elle voulait les retrouver et ne plus jamais les quitter, elle les protégerait de la mort et eux la protégeraient de la tristesse. Elle était rentrée à pied dans le petit hôtel près de l'hôpital, pesant deux cents kilos de chagrin, elle avait à peine entendu l'infirmière lui dire que les « gens de la communauté » allaient s'occuper des obsèques, les juifs comme les Arabes se dépêchent d'enterrer leurs morts, le corps glacé ne libère pas l'âme tant qu'il n'a pas rejoint la terre, les obsèques de Ginette auraient lieu le lendemain, elle ne savait pas si elle pourrait y aller, elle s'était trouvée mal à force de se griffer le visage dans la chambre d'hôtel à la pensée du linceul miniature, du trou où l'on descendrait sa poupée blonde, de la terre qui la recouvrirait.

Abraham marchait dans la fraîcheur de ce soir de février, descendant les rues qui partent de l'hôpital de Bab El-Oued en direction de la Casbah. Il était entré dans un café, avait commandé un verre sans adresser un regard à personne, en avait commandé un autre presque aussitôt, sans entendre les hommes qui jouaient aux cartes, certains taiseux d'autres gueulards, exprimant tous dans le jeu un rapport essentiel au monde et aux autres, il avait bu encore en roulant plusieurs cigarettes et au sixième verre il était ressorti. La capitale, il ne la connaissait pas et il n'avait pas envie de la connaître, marcher était tout ce qu'il pouvait faire, il était passé devant l'Opéra, on jouait de la musique au kiosque du square Bresson. Il s'était arrêté pour écouter, adossé à un palmier, la tête lui tournait, ses jambes ne le portaient plus, il était écœuré par l'air salé de la mer mêlé aux effluves de poisson frit. Il avait espéré un réconfort de la part de la musique, mais ce n'était pas celle des ouds qu'il affectionnait, le *malouf* de Cheikh Raymond adoré des Constantinois, c'était celle d'une fanfare, fière de ses instruments à vent à la sonorité bien plus conquérante que les instruments à cordes, les cuivres étaient plus sûrs d'eux, le contraire de lui, ce soir-là et en général. Il avait dans la gorge le goût de l'anisette bue pour dissoudre la barre de mots qu'il n'avait pu prononcer devant Madeleine, les mots qu'il n'arrivait pas à aligner dans sa tête, ni même à effleurer, il ne savait pas qu'il aurait pu dire viens près de moi, ma femme, on va s'appuyer l'un contre l'autre, je vais être fort pour deux, on va chérir les enfants qui nous restent et leur transmettre le goût de la vie, on va s'aimer davantage, on leur donnera ainsi confiance et l'envie d'aimer à leur tour.

Ils étaient rentrés à Constantine, brisés à l'intérieur d'eux-mêmes, tandis que leurs visages paraissaient inchangés tant ils étaient déjà empreints de tourment, même pas un pli au coin des lèvres pour marquer la douleur, le regard flottant à travers la vitre du train, silencieux, espérant chacun une consolation à venir, de Rachel pour Abraham, des enfants pour Madeleine, une étreinte, un contact bref et violent pour pleurer dans les bras d'un autre et éprouver du réconfort. Mais quand ils avaient franchi la porte au deuxième étage du 15, rue du 26e de Ligne, ils avaient vu Rachel assise par terre, les vêtements déchirés, le front maculé de traces de cendre, les pleureuses en cercle autour d'elle, improvisant les phrases qui iraient chercher la douleur au plus profond de Rachel pour l'en extraire, et les enfants, intimidés et prévenants, chuchotaient des mots engloutis sous les cris, mémé Rachel, tu veux de l'eau ? Elle ne répondait pas, se balançait de droite à gauche comme si elle se remémorait une comptine dont elle avait une nostalgie inguérissable, émettant le même gémissement sourd que Madeleine avait eu à l'hôtel. Ils s'était arrêtés net, déboussolés par la nécessité de ravaler la peine qu'ils avaient trimballée depuis l'hôpital d'Alger, ils l'avaient sentie passer comme une grosse boule grumeleuse dans leur gorge, avaient dégluti ensemble, hoché la tête ensemble. Avant que quelqu'un s'adresse à eux, ils avaient compris.

À Thann, dans l'infirmerie du docteur Worms où le commandant de son unité avait décidé de le laisser parce qu'il était trop grièvement blessé pour être transporté à l'hôpital militaire de Mulhouse, le 20 janvier 1945, premier jour de la bataille de Colmar à laquelle il ne participerait pas et qui allait durer trois semaines, les poumons de Jacob s'étaient gonflés une dernière fois, faiblement, et son cœur avait cessé de battre. La femme du docteur Worms qui le rasait chaque jour depuis le 8 décembre pour lui conserver un visage net avait caressé une dernière fois son front avant d'annoncer la nouvelle à son mari, ajoutant, mourir si jeune, si loin de chez lui, si c'est pas malheureux, et elle avait eu une pensée pour la mère du soldat qui ne saurait rien de l'agonie de son fils. Le garçon n'était certainement pas chrétien, il était arrivé là avec les tirailleurs marocains, mais elle était tout de même allée allumer un cierge à la Collégiale, pour qu'une flamme vacillante aide à l'élévation de son âme, et avait prononcé une prière.

Il avait vécu dix-neuf ans, sept mois et dix jours,

la nouvelle avait mis plus d'un mois à leur parvenir. Un mois durant lequel Rachel avait écouté la radio tous les jours, suivi la progression de l'armée française où seul comptait Jacob parmi les centaines de milliers de soldats. Un mois durant lequel Gabriel avait caressé dans la poche de son pantalon le caillou lisse offert par son oncle avant son départ, hésitant à descendre vers les piscines d'eau chaude pour tenter des ricochets, persuadé que s'il attendait son retour pour le faire, Jacob reviendrait. Ce matin-là, un officier de la caserne Welvert était venu frapper à la porte, accompagné d'une secrétaire qui avait posé sa main sur l'épaule de Rachel. L'officier avait grommelé quelques mots insaisissables, il n'était pas sûr que la femme qui lui faisait face comprenait le français, et d'un geste qui avait évoqué à Gabriel un bourgeois faisant l'aumône, il avait tendu l'acte de décès de Jacob sur lequel il était écrit « Mort pour la France », pendant que la secrétaire disait à Rachel, dont les yeux s'affolaient, Madame, votre fils est mort pour la France. Le corps, l'officier avait dit le corps, pas Jacob, le corps était encore là-bas car les combats qui continuaient sans lui, qui se passaient de lui – mais alors, pourquoi l'avoir engagé, pourquoi l'avoir emmené au front puisque sa présence n'était pas indispensable ? – les combats, donc, empêchaient de le rapatrier, il faudra du temps, on vous préviendra, avait-il conclu, avant de porter la main à son front et de tourner les talons, suivi par la secrétaire qui avait lancé un dernier regard coupable à Rachel.

Et le soir de Pessah, qu'ils commençaient à appeler Pâques pour s'affirmer un peu plus français, un mois après la visite de l'officier qui ne connaissait pas Jacob mais était pourtant venu leur annoncer sa mort, la place de Jacob était là, un coussin en velours grenat posé par terre, sur lequel Camille avait voulu s'asseoir. Madeleine l'avait tirée par le poignet, non, non, pas là, et Haïm avait rempli le premier verre de vin pour son fils absent. Les larmes de Rachel avaient coulé au passage que Jacob chantait toujours, le plus jeune devait poser quatre questions, *Ma nishtana halaïla hazé*, en quoi cette nuit est-elle différente des autres nuits, pourquoi mange-t-on accoudé, pourquoi les herbes amères, pourquoi le pain azyme. Cette année-là, la voix claire de Gabriel qui n'avait pas encore mué s'était élevée à la place de celle de Jacob, et Madeleine l'avait aimé, il ressemblait à un enfant sage, candide, et Rachel l'avait haï, découvrant qu'il chantait aussi bien que Jacob, modulant les mots d'hébreu et d'araméen comme s'il posait réellement les questions et attendait les réponses, et Camille avait pensé, pourquoi ce sont toujours les garçons qui chantent et jamais les filles, moi aussi je veux poser les questions. Rachel avait rempli l'assiette devant la place vide en premier, un bouillon odorant d'artichaut, de courgettes et de fèves dans lequel elle avait cassé de la galette et ajouté le meilleur morceau de viande, tendre et persillé que tous avaient envié en silence. L'assiette avait refroidi avant d'être jetée, c'est péché de jeter, avait failli dire Haïm, mais il s'était tu. Madeleine contemplait les empreintes sanglantes de sa main et de celle de

Rachel près de la porte d'entrée, elles les avaient trempées dans le sang de l'agneau pascal avant de les appliquer sur le mur, ces marques étaient destinées à protéger les premiers-nés de la mort. Elles accomplissaient le geste chaque année en pensant qu'elles préservaient ainsi leur maison du malheur, et les enfants en particulier, alors pourquoi Ginette était morte à Alger et pourquoi Jacob n'était pas rentré, la protection n'était peut-être pas efficace en dehors de la maison, sur une terre lointaine et froide, dans un lieu où l'on ne croyait pas en Dieu de la même manière, et Rachel, qui fixait aussi les marques, se balançait doucement en se maudissant d'avoir donné le prénom d'un enfant mort à Jacob, ça avait été une erreur de défier ainsi le choix de Dieu, et elle pensait, s'il avait été fragile comme Abraham, ils n'auraient pas voulu de lui à l'armée et il serait encore là, s'il n'avait pas été vigoureux, il serait resté dans un bureau à remplir des papiers et il serait encore là, si le fou allemand n'avait pas décidé de faire la guerre en Europe, il serait encore là, s'il avait été peureux et avait déserté, il serait encore là, s'il avait été moins beau et n'avait pas attiré le mauvais œil de tous ceux qui le croisaient, il serait encore là, et si j'avais pu l'embrasser une dernière fois, cela m'aurait suffi, et si je n'avais pas pu l'embrasser mais si j'avais pu le voir de loin, cela m'aurait suffi, et si je n'avais pas pu l'embrasser ni le voir de loin mais que j'avais simplement entendu sa voix, cela m'aurait suffi, et si je n'avais pas pu l'embrasser ni le voir de loin ni entendre sa voix mais que je l'avais simplement vu mort, cela m'aurait suffi, et si je ne l'avais pas vu mort mais qu'on m'avait apporté ses derniers vêtements imprégnés de son odeur et de son sang, cela m'aurait suffi, et si quelqu'un était venu me raconter sa mort et me dire ses derniers mots, cela m'aurait suffi, mais il n'y avait rien eu à part l'annonce, et maintenant son coussin était vide, comme le cœur de Rachel qui ne se sentait plus la force d'aimer personne, d'aimer la vie, à quoi ça servait d'aimer s'il fallait connaître l'arrachement, à quoi ça lui servirait de vieillir si ça signifiait s'éloigner de Jacob, qui aurait éternellement dix-neuf ans et demi, jamais vingt, jamais plus, pourquoi on ne lui avait pas donné le choix, à elle, sa mère qui l'avait porté, de lui donner vingt ans de sa vie, de renoncer aux vingt-cinq années qui lui restaient à dormir, à se préoccuper des repas, du ménage, de la lessive, à entendre les ragots des voisines, il paraît que la femme de Maurice lave ses draps une fois par mois, il paraît que la fille de Fortune n'était pas vierge le soir de ses noces, il paraît que le fils d'Albert n'est pas son fils mais celui de son frère, il paraît que les parents de Lucien ont payé le directeur du lycée pour qu'il ait son baccalauréat, il paraît que la femme de l'épicier a porté du rouge alors que son mari était à peine enterré, il paraît que Leïla brûle ses plats une fois sur deux quand elle cuisine, était-il possible que Dieu l'ait laissée sur terre pour entendre ces choses-là ?

Et la pensée de Jacob était tendue comme une corde invisible entre le 15, rue du 26e de Ligne et l'immeuble qui lui faisait face, où Lucette mangeait sans appétit l'épaule d'agneau pascal rôtie, elle avait encore dans les oreilles les cris des femmes qui entouraient Rachel le jour de l'annonce. Rachel, elle, était restée terriblement silencieuse, et Lucette avait compris la douleur qui fait taire, aspire tout comme un trou noir, parce qu'elle la ressentait aussi, comment le monde pouvait continuer d'exister sans Jacob alors qu'elle s'était raconté tant d'histoires sur son retour ? Elle l'aurait vu du haut de la terrasse et aurait dévalé les escaliers. Elle aurait accompagné exceptionnellement son père à la synagogue pour Kippour et il aurait été là, tel un ange, avec son châle de prière ivoire strié de noir sur les épaules, elle aurait reconnu sa voix entre toutes au moment où la clameur fervente se serait élevée dans la salle, réponds-nous Dieu d'Abraham, réponds-nous, et peut-être dans la bousculade de fin de journée, après la prière des Cohen qui arrachait des larmes aux femmes, il l'aurait aperçue et aurait incliné sa tête. Elle l'aurait croisé rue de France, avec un peu de chance, elle aurait été avec sa mère, lui avec la sienne, ils auraient eu le droit d'échanger quelques mots, les mères auraient capté les regards, les rires étouffés dans les mains nerveuses, elles en auraient parlé le lendemain aux bains maures, dans la vapeur propice aux confidences, puis à leurs maris le soir, les Melki auraient pensé que c'était une bonne idée parce que Lucette venait d'une famille honnête, on la connaissait bien, et si son statut de fille unique laissait planer des doutes sur la fertilité de ses ascendants, ses hanches larges et ses seins ronds les rassuraient. Lucette en était sûre, elle aurait réussi à partager sa vie avec Jacob, à la construire pierre par pierre, heureuse, jalouse et fière, bénissant Dieu chaque matin de se réveiller près de lui, priant le soir pour qu'il soit protégé de la maladie, de la médisance, de la pauvreté, des vices de la boisson et du jeu, des regards des autres femmes qui l'auraient désiré, et elle aurait réussi, parce qu'elle le souhaitait de toutes ses forces cascadant en torrents dans son corps. Mais au lieu de franchir le seuil de cet avenir, qu'elle avait vu plus précisément que les murs qui l'entouraient, chaque soir dans son lit, Lucette se battait comme une folle pour retrouver les traits de Jacob, la forme de ses yeux, le profil de son nez, le dessin de ses lèvres, elle fouillait désespérément dans sa mémoire pour reconstituer sa silhouette le jour où il était parti. Il était pressé, pourtant il lui avait souri très gentiment, de cela elle était certaine, mais elle aurait voulu se souvenir de ce qu'il lui avait lancé en partant, alors même qu'elle ne l'avait pas entendu, oh, pourquoi n'avait-elle pas pu entendre les paroles adressées à elle seule par le garçon qu'elle aimait, était-il possible que l'amour rende sourd ?

Des questions, ils en auraient tous, longtemps, osant à peine se les formuler, encore moins les dire à voix haute, mais parfois, l'une d'elles, entêtée, perçait le givre qui recouvrait les traits de Jacob et insinuait, et s'il était vivant, et si l'officier avait eu une mauvaise information, et si Jacob revenait, et la question, lancinante comme une blessure dans laquelle on sent la pulsion du sang, ne les laissait pas en paix. Et s'il était quelque part en France, seul, la mémoire perdue, ce sont des choses qui se passent, les démons grouillent sur les champs de bataille, ils s'en donnent à cœur joie, les morts et les blessés les mettent en fête, certains s'infiltrent dans la tête des survivants pour effacer tout ou presque, c'était arrivé au cousin de Rachel, Moïse. Quand il était rentré de la guerre en 1918, il avait un regard bête et heureux et ne se souvenait plus de rien, il appelait ses parents madame, monsieur, il ne parlait plus arabe et mangeait avec ses doigts comme un enfant, il ne savait plus comment il s'appelait mais il était vivant, c'était le plus important, il avait dû son retour à un camarade qui ne l'avait jamais lâché et s'était souvenu à sa place de son nom et de son adresse. Qu'est-ce que ça apportait de toute façon de savoir comment on s'appelle et à quelle date on est né, ici, les gens avaient tous au moins trois noms, français pour l'état civil, hébreu pour la tradition, arabe pour la vie de tous les jours, et leur date de naissance n'était jamais la bonne. Parfois ce n'était pas le jour où ils étaient nés mais le jour où on les avait déclarés à la mairie, parfois on ne se souvenait plus très bien si c'était un mardi ou un mercredi, avant ou après minuit, alors on disait un samedi parce que c'était un jour sanctifié, ou on disait le jour de Kippour, de Rosh Hashana, quand Dieu se penche sur le destin des hommes avec plus d'attention, décide qui vivra, qui mourra, et tous implorent de vivre.

Et Madeleine, qui couvait du regard Gabriel en priant silencieusement, espérant que ni une autre guerre ni la maladie ni le mauvais œil ne le lui ôterait, pensait aussi que Jacob était peut-être vivant et reviendrait bientôt, ou après de longues années, comme dans l'histoire fabuleuse que son père leur racontait, à elle et à ses frères et sœurs, quand la nuit tombait tôt dans son village de Tunisie et qu'il n'y avait pas assez d'huile pour faire brûler la lampe. On ne pouvait plus coudre, on ne pouvait plus rien faire, ils s'asseyaient en cercle autour de l'homme au regard sévère mais bon qui disait, écoutez l'histoire d'Edmond Dantès, et c'était en judéo-arabe qu'il parlait, il y avait un jeune homme à Marseille, très beau, un marin, que tous jalousaient tant qu'ils le firent enfermer dans une prison sinistre. Et Madeleine ne se lassait pas d'entendre raconter les amours d'Edmond Dantès et de Mercedes, le long séjour dans le cachot du château d'If, le tunnel creusé par l'abbé Faria (son père disait *bobass* Faria), puis le retour de Dantès sous différentes identités, et enfin, la vengeance. Et plus elle y pensait, plus Edmond Dantès prenait les traits de Jacob, qui allait revenir, peut-être, puisque à part la douleur ressentie par chacun depuis la visite de l'officier, à part la lettre du ministère des Armées, il n'y avait aucune preuve de sa mort.

À son retour du dispensaire où on lui avait prescrit des fortifiants pour l'aider à tenir debout, Rachel avait aperçu le fils de madame Dukan place de la Brèche, et son cœur avait fait le même bond que chaque fois qu'elle voyait un garçon de l'âge de Jacob, elle se disait pourquoi lui est en vie alors que mon Jacob est absent, disparu. Elle se sentait indigne de ces pensées, du mauvais œil qui s'en échappait malgré elle pour atteindre les jeunes hommes de ses flèches transparentes, elle avait honte mais elle songeait aussi, lui a sûrement été moins courageux que Jacob, c'est pour ça qu'il est rentré, ce sont toujours les meilleurs qui partent. Son cœur s'était de nouveau brisé, dans ce mouvement de balancier qui était désormais le sien, se reconstituant péniblement pour éclater en morceaux à la moindre occasion, la pire des douleurs la frappant chaque matin au réveil quand il lui fallait quelques secondes pour se situer sur terre, dans le temps, fournir un effort gigantesque pour soulever les repères un à un et les rassembler. Je m'appelle Rachel épouse Melki, je suis chez moi, près de mon mari Haïm, à Constantine, au mois de mai mille neuf cent quarante-cinq. Puis la réalité amère remontée à la surface de sa conscience étendait sur elle son voile glacé : mon fils Jacob est mort, il ne rentrera pas, ce n'est pas un cauchemar, c'est ma vie dorénavant et le jour immanquablement s'obscurcissait, imprégnant de mélancolie chacun de ses gestes, lui coupant les jambes couvertes de bleus tant elle chutait. Ce jour-là, malgré les fortifiants, elle avait peiné à monter les marches de l'escalier qui menait au deuxième étage et elle avait surpris Gabriel en train d'essayer le costume de bar-mitsva de Jacob, contemplant avec fierté son reflet dans la glace. Elle avait hurlé en arabe une suite de mots qu'il n'avait pas comprise, et il avait commencé à enlever la veste en suppliant intérieurement sa grand-mère de ne pas le dénoncer, mais Rachel l'avait arrêté net. Ne bouge pas, reste comme ça. Elle l'avait fixé un long moment, superposant le visage de Jacob à celui de Gabriel, à qui elle avait demandé de se retourner. De dos, en fonçant mentalement ses cheveux, elle pouvait croire l'espace d'un instant qu'il s'agissait de son fils et pas de son petit-fils, elle pouvait se mentir, et le mensonge avait valeur de consolation et de douleur à la fois. Et Gabriel, pétrifié, avait pensé qu'il aurait préféré être battu par son grand-père plutôt que d'être pris dans ce regard lui ôtant de manière inexplicable toute envie, dévastant son petit cœur d'enfant ligoté par un amour qui ne lui était pas adressé. Rachel lui avait lancé brusquement, rentre chez toi, allez, allez, et il s'était dépêché de retirer le costume, d'enfiler ses vêtements sous le regard absent de sa grand-mère et de rejoindre ses copains dans une impasse près des bains maures, ils avaient fumé des cigarettes dont le goût leur donnait envie de vomir mais qui faisaient éclore un sourire léger sur leurs lèvres, un peu prétentieux, un peu hâbleur. Quelqu'un avait dit, y a un défilé pour fêter la fin de la guerre, on y va, et ils s'étaient pressés avec la foule place de la Brèche pour acclamer les soldats, profitant de la liesse pour piquer quelques pièces dans les poches, mais au bout d'un moment Gabriel avait abandonné la récolte, happé par le défilé, tandis que des chuchotements autour de lui répandaient la nouvelle, il paraît que les Arabes ont massacré des Européens à Sétif, à Guelma, il vaudrait mieux rentrer.

Fin septembre, lors de la fête des vautours, les rapaces fondaient sur la tombe de Sidi M'cid, au sommet de la montagne. La légende dit que Sidi M'cid était un *nègre* qui, pour subvenir à ses besoins, dansait en jouant de la musique. Il avait le pouvoir d'exorciser les possédés et de guérir les malades en gesticulant autour d'eux. Avant de mourir, il avait invité ses adeptes à se réunir sur sa tombe, promettant de leur envoyer des oiseaux du ciel qui pourraient recueillir leurs désirs et les transmettre aussitôt à Dieu. Chaque année, une procession accompagnée de guérisseurs récitant des versets du Coran se rendait sur la tombe au son d'une musique fiévreuse et sacrifiait des animaux. Des youyous et des appels étaient lancés vers le ciel, et les rapaces annoncés par Sidi M'cid volaient vers la foule. Abraham aimait les oiseaux, mais il ne s'était jamais mêlé au cortège. Ce rite n'était pas le sien, les rapaces l'effrayaient, et il avait des doutes sur l'exaucement de ses désirs. Dans des moments plus solitaires, il observait le vol des hirondelles traversant la ville pour migrer, plus au nord ou plus au sud selon les saisons, il ne se lassait pas de contempler leurs mouvements nerveux, vifs, quelque chose l'intriguait dans leur manière de se déplacer dans les airs, jusqu'au jour où il avait compris que les hirondelles ne planent pas, contrairement aux alouettes, aux rapaces ou aux merles, mais doivent battre des ailes à chaque seconde pour ne pas s'écraser au sol. Il aurait aimé en capturer une ou deux, mais on n'enferme pas les hirondelles dans des cages, alors il était allé acheter à prix d'or des ortolans dans une boutique rue de France. Il les avait choisis lui-même en écoutant leur chant avant de regarder leurs plumes, puis les avait ramenés à la maison où les enfants l'avaient accueilli avec des exclamations joyeuses. Madeleine s'était interrogée sur le prix des trois volatiles, mais n'avait rien dit, et Abraham avait accroché la cage à la persienne, rempli un petit bol d'eau, versé des graines dans la mangeoire, posé son index sur ses lèvres pour réclamer le silence aux enfants, un geste, un regard de lui suffisait à les faire taire, à leur faire peur, quand bien même ça n'aurait pas été nécessaire ce jour-là, et il avait commencé à moduler des sons brefs, puis des appels poignants, pour finir par des soupirs ténus. Les ortolans s'étaient figés, subjugués par la précision des sons émis, ils n'avaient pas bougé d'un millimètre pour s'imprégner de chaque note. Le sifflement terminé, quelques secondes s'étaient écoulées, troublées uniquement par les cris de la voisine qui râlait contre son mari parce qu'elle n'en pouvait plus de cette vie-là, elle en avait marre d'habiter au rez-de-chaussée comme une misérable, elle voulait un appartement en étage avec l'eau courante comme tous les gens bien, mais sa voix semblait venir de loin, d'un univers qui ne contenait pas la petite chambre où deux adultes et trois enfants guettaient quelque chose, ils ignoraient quoi, un espoir qui n'avait pas de nom. Ils étaient suspendus aux becs des oiseaux et au visage de leur mari et père qu'ils n'avaient jamais vu ainsi, calme et concentré, comme ayant accepté la douleur qui le rendait violent et lui faisait renverser la table, le vendredi soir, et soudain, l'oiseau le plus proche d'Abraham s'était redressé, avait avancé la tête, ouvert le bec et s'était mis à chanter en reproduisant la mélodie humaine. Il avait hésité sur une note, Abraham l'avait aidé en sifflotant doucement, l'oiseau s'était repris et les deux autres, s'enhardissant, s'étaient joints à lui. Le prodige se produisait sous les yeux et dans les oreilles de Gabriel, Fanny, Camille et Madeleine, un concert improvisé qui avait abattu les murs de la petite chambre, fait disparaître les ruelles, les voisins, la mosquée au bout de la rue, les bâtiments et les êtres devenus transparents, effacés, comme s'ils n'avaient jamais existé, la Terre avait pivoté sur son axe, était retournée en arrière dans une rotation souple et élégante, atteignant des temps sauvages, avant l'invention du labeur, de l'argent, des classes sociales, du loyer à payer chaque mois, avant l'apparition de l'homme, avant la parole, avant la guerre, quand le monde n'avait pas de sens, que personne ne cherchait à lui en donner et que les seules rumeurs dont il bruissait étaient les cris des animaux, le murmure de l'eau, le souffle du vent, et parfois les rugissements de la terre qui tremblait.

Trois ans après la fin de la guerre, ils reçurent une lettre adressée à Haïm, au père, parce qu'il était le chef de famille et comptait plus que la mère qui avait cherché Jacob de caserne en caserne durant l'été 1944. La lettre était à l'en-tête du ministère des Anciens Combattants et Victimes de Guerre, service des restitutions, dépôt mortuaire de Mulhouse, elle disait,

Monsieur,

En application de la loi du 16 octobre 1946, vous avez adressé une demande tendant à obtenir la restitution aux frais de l'État de M. MELKI Jacob, 2e classe, 3e D.I.A., 1er R.T.A., inhumé dans le cimetière de BITSCHWILLER, département du Haut-Rhin.

J'ai l'honneur de vous faire connaître que les services du ministère des Anciens Combattants et Victimes de Guerre ont procédé aujourd'hui même à l'exhumation des restes mortels de M. MELKI Jacob. Le corps a été aussitôt transporté au dépôt mortuaire de MULHOUSE et vous sera remis à une date qui vous sera indiquée ultérieurement. En effet, des considérations impérieuses, notamment l'insuffisance des moyens de transport qui rend nécessaire la constitution de convois groupés, me font une obligation de garder le corps pendant quelque temps, en attendant qu'il puisse être dirigé sur le dépositoire de MARSEILLE d'où il sera conduit vers son lieu de sépulture définitive, sans que vous ayez une autre démarche à accomplir.

Vous serez avisé en temps utile, au moins quatre jours à l'avance, de la date et de l'heure exactes de la remise à la municipalité de CONSTANTINE de la dépouille mortelle de votre regretté disparu.

Cette municipalité est chargée d'organiser les funérailles en accord avec vous.

Je vous prie d'agréer, Monsieur, l'assurance de ma considération la plus distinguée.

Le contrôleur départemental

Ils furent avertis, le 20 novembre 1948, de l'arrivée du corps de Jacob, non, de ses restes, plus de trois ans après sa mort, ce qu'il restait de Jacob dans le cercueil offert par l'armée française, ce n'était plus Jacob, sa voix ne résonnait pas dans le bois, ni pour chanter, ni pour parler, pour dire simplement ça y est, je suis rentré, c'était dur, mais on y est arrivé, on les a battus jusqu'au bout, jusqu'au dernier. Dans le cercueil, ce matin de novembre, il n'y avait pas non plus les yeux de Jacob pour esquisser un clin d'œil, ni ses mains douces et appliquées qui avaient gercé avant que la chair fonde, les restes de votre regretté disparu, c'était ce qu'on leur avait transmis, mais Rachel avait embrassé le cercueil comme si c'était son fils, posant ses lèvres sur le bois comme si c'était sa chair, et les femmes autour d'elle pleuraient, criaient, griffaient leur visage, parce que c'était ce qu'il fallait faire, exhiber la douleur, même si elles pensaient à autre chose, à leur toilette pour le mariage de leur fils, au rideau qu'elles voulaient coudre afin d'établir une séparation dans la chambre entre les filles et les garçons, d'éviter que les frères et sœurs se voient, se touchent, aient des envies interdites, elles avaient autre chose à faire, les voisines, les cousines, Jacob était mort déjà une fois, on l'avait pleuré sans le corps, maintenant que le corps était là, il fallait se forcer pour le pleurer encore. Elles faisaient tout autant de bruit que trois ans auparavant mais en y mettant moins de cœur, et les hommes se retenaient de se boucher les oreilles, pourquoi cette drôle de répartition, les femmes qui crient, les hommes qui se taisent, comme Haïm et les trois fils qui lui restaient, Abraham, Alfred, Isaac, ils portaient le cercueil de Jacob, deux sur l'épaule droite, deux sur l'épaule gauche, hébétés d'accompagner vers la terre ce jeune frère qu'ils n'avaient pas revu depuis si longtemps. Gabriel aurait voulu être des leurs, prouver qu'il était fort, sentir le poids de Jacob sur son épaule, mais on lui avait répondu qu'il n'était pas encore assez grand. Il avait quitté le cimetière avant tout le monde pour courir vers le pont suspendu et s'était arrêté pile au milieu. Des nuages noirs bouchaient le ciel, armée de taureaux géants prêts à déferler sur la ville dans un orage splendide qui ferait dire à Madeleine et Rachel, même le ciel pleure. Gabriel avait gardé sa main dans la poche un long moment, hésitant, réchauffant dans sa paume une dernière fois le caillou lisse. Devait-il plutôt descendre vers le fleuve, retourner au bassin de pierre où Jacob l'emmenait pour faire des ricochets ? Et s'il ratait son coup ? Le caillou coulerait lamentablement, ajoutant de la déception à la peine. Il le prit dans ses mains ouvertes en corolle, prêtes à le laisser s'envoler, mais le caillou ne bougeait pas. Alors il le projeta vers les flots, en essayant de l'accompagner du regard de bout en bout, mais il eut beau plisser les yeux, il ne parvint pas à suivre sa trajectoire jusqu'à ce qu'il touche l'écume, et disparaisse.

Jacob avait dû la vie au mariage arrangé entre Rachel et Haïm, le 17 octobre 1906, dans l'arrondissement de Guelma, commune de Tébessa. Haïm était le fils d'Abraham, tailleur, et de Laïla, née Fitoussi. Rachel était la fille d'Israël, sans profession, et de Guemara, née Touitou. Les noms de leurs grands-parents, dont la naissance avait précédé le décret Crémieux faisant des juifs d'Algérie des citoyens français, n'étant inscrits sur aucun registre d'état civil, ne survivraient pas à Jacob plus de cent ans, pourtant quelque chose de plus subtil mais de tout aussi transmissible, bien que n'intéressant pas l'administration, s'était inscrit en lui : grain de peau, tessiture de voix, forme des yeux, propension à la tendresse, la colère ou l'inquiétude. Jacob était fait de ces mots transmis de génération en génération, prières, bénédictions, exclamations, il était fait aussi des silences si nombreux autour de l'amour, de la mort, et il était curieux qu'il ait rencontré les deux à des milliers de kilomètres de là où il était né, détaché des siens, défenseur d'une Europe qui avait tué ou laissé mourir ses juifs mais qui l'avait bien voulu, lui, pour la délivrer, alors que trois ans avant son incorporation on ne l'avait plus jugé suffisamment français pour l'autoriser à franchir les portes du lycée d'Aumale. Et les questions que cette situation posait, Jacob n'avait pas eu le temps de les méditer, de les appréhender. Elles auraient pu être des sujets de dissertation, il y aurait réfléchi à froid, avec la distance des années qui assourdit les sons, estompe les couleurs, mais fige parfois les événements et les êtres dans un lieu invisible, débarrassés de toute matérialité, de toute temporalité, réduits à leur essence même d'émotion et de pensée liées, de trace. Il aurait cherché dans sa mémoire des citations apprises en cours de philosophie, de rhétorique, de littérature. Il aurait éprouvé de nouveau, en l'approfondissant, cette exaltation qui s'était emparée de lui lorsqu'il avait découvert le territoire sacré de la parole intérieure et les chemins que la langue orale et la langue écrite peuvent esquisser pour qui les emprunte. Et au fur et à mesure que le récit des années de guerre se serait imposé, dévoilant les déportations, les camps, l'inhumanité de ces années-là, la fierté d'avoir libéré l'Europe aurait perdu de son éclat. Il se serait dit, accablé, nous avons gagné la guerre, oui, mais pour tant et tant d'hommes, de femmes et d'enfants, nous sommes arrivés trop tard. Il aurait alors pris conscience qu'il avait fait partie de l'histoire, acteur, indéniablement, mais pas si puissant qu'il avait cru l'être dans la pinède en feu sur les hauteurs de Toulon quand il avait tiré pour la première fois aux côtés des GI's, et porté Bonnin sur son dos pendant des centaines de mètres. Il se serait interrogé sur le miracle mille fois répété qui lui avait permis de se soustraire à la mort. Pouvait-on voir en cela le hasard, la chance ? Peut-être. La découverte du drame tellurique auquel il avait mis fin avec ses camarades se serait faite par à-coups, au hasard d'une lecture, d'une rencontre, d'un souvenir, parce que même après cette guerre qui aurait exigé une redéfinition totale des rapports entre les êtres, personne n'avait eu la capacité d'arrêter le temps, d'imposer le silence, la réflexion, les événements se succédaient, la propagande les mettait en scène pour les actualités, les mouvements saccadés de la vie détournaient chaque jour le regard vers un autre point.

Mais de toutes ces questions, comme de la mort de son père le 5 mars 1953, le même jour que Joseph Staline auquel il ressemblait tant, Jacob n'avait rien su. Et malgré le temps qui s'écoulait sans lui et les événements autour desquels leur vie à tous commençait à tourner, aimantée par un nouveau centre de gravité les entraînant dans un mouvement qui allait les arracher à leur terre, le visage de Jacob continuait d'apparaître à la faveur d'un rêve que faisait Rachel, Madeleine ou Lucette et qui les remplissait d'une joie vibrante. Il était là, il parlait, chantait même parfois, on pouvait le serrer dans les bras, il souriait, et au réveil sa présence frémissait dans chaque cellule du corps de la dormeuse, une présence qui semblait si sûre de son existence, flottait quelques heures dans l'appartement, rarement plus, avant de s'envoler pour rejoindre le royaume dont elle s'était échappée. Alors il ne restait plus que son nom qui se frayait un passage dans la bouche de Rachel, comme ce jour où Camille, venue faire le ménage chez elle, avait une expression songeuse, la main tenant le chiffon arrêtée dans les airs avant d'ôter la poussière sur le buffet. Il était beau Jacob, hein, ma fille. Camille avait quitté la photo des yeux et regardé sa grand-mère dont les rides se crispaient pour retenir les larmes. Je ne me souviens pas de lui, avait-elle dit doucement, mais il a l'air gentil. Oh, il était bien plus encore, avait corrigé Rachel, c'était un ange, c'est sûrement pour ça que Dieu l'a rappelé à lui. Tu l'aimais beaucoup, il dormait là, pas loin de toi, et il jouait à l'avion avec toi. Camille avait scruté le visage avenant du jeune homme. Il ne ressemble pas à un ange, avait-elle pensé, plutôt à un joli garçon qui aime plaire. Difficile de croire qu'il s'agissait de son oncle, elle avait quasiment le même âge que lui sur le cliché en noir et blanc. Plus difficile encore d'envisager qu'il s'agissait du frère de son père, aucun trait ne semblait les lier, même sur l'autre photo prise au lycée où Jacob était plus sérieux, en costume et fine cravate noire sur une chemise blanche, là il avait un air grave, peut-être même triste, mais dénué de la violence qui pouvait déformer le visage d'Abraham les jours de colère, de moins en moins nombreux depuis que la maladie l'avait frappé, lui interdisant de boire, diluant les forces qui serraient ses poings. Il était plus triste, plus attentif aux autres, ouvertement démuni, et passait son temps allongé sur son matelas, la cage à oiseaux posée près de lui, lançant de nouveaux défis vocalisés aux ortolans. Il était au lycée sur cette photo, avait repris Rachel, c'était un très bon élève, il aurait pu devenir professeur ou peut-être même préfet si les Allemands ne l'avaient pas tué, que leurs noms soient maudits. Camille s'était demandé comment ce genre de chose pouvait arriver, comment quelqu'un pouvait être si différent de ses parents, de ses frères et sœurs. D'elle, on disait qu'elle ressemblait à son père, et aussi à Gabriel, elle avait hérité de leur front large, de leurs yeux fendus comme ceux des Chinois, même si ceux de Gabriel étaient verts et les siens noisette, elle portait aussi sur son visage une expression déterminée, comme eux, un masque sur lequel la volonté des autres venait buter, mais elle était une fille, et ce n'était pas cette détermination que l'on attendait d'elle. On lui donnait Fanny en exemple, jamais contrariante, jamais rebelle, à croire que son corps ne contenait pas les mêmes organes que le sien, ses muscles à elle étaient peut-être plus relâchés, ses os moins durs, d'ailleurs, elle était souvent fatiguée, travailleuse et fatiguée, serviable et fatiguée, c'était une façon de survivre comme une autre, tandis que Camille ne savait que faire de l'agitation qui palpitait dans son corps de jeune fille de seize ans, peut-être y avait-il eu une erreur lors de sa conception, peut-être aurait-elle dû naître garçon. Elle serait partie à l'armée, comme Jacob et comme Gabriel maintenant, elle aurait eu cet air qui interdit aux autres de poser trop de questions, une vie secrète et inaccessible, ça n'aurait pas été comme partir en voyage mais ça aurait été partir quand même, rien ni personne ne lui aurait manqué à part Madeleine qui répétait qu'elle vivait pour ses enfants, tenait debout grâce à eux, préférait être malade à leur place, Madeleine qui se démenait pour les vêtir proprement, les nourrir correctement même quand il n'y avait plus d'argent parce que Abraham, bien qu'il ne bût presque plus, avait accumulé depuis la mort de Jacob des dettes dans tous les bars de la ville, dont elle payait encore les traites.

En cet automne 1956, Gabriel s'était dirigé avec son unité vers un village où le renseignement affirmait que les *fells* y passaient la nuit, une fois par semaine, le jeudi, avant de retourner au maquis. La section avait encerclé la douzaine de maisons, resserré le cercle comme un licol autour de l'encolure d'un animal, et c'était lui, le plus agile, qui avait bondi pour bâillonner le guetteur. Il avait eu beau se laver les mains dix fois depuis, il sentait encore le contact parcheminé des lèvres dans sa paume, la traînée de salive qui l'avait irrité quand l'autre s'était débattu, et il lui avait chuchoté à l'oreille en arabe, tu te laisses faire ou t'es mort ; l'autre s'était laissé faire mais il était mort quand même. Ils avaient rassemblé les habitants devant eux, hommes au regard brûlant, refusant de céder à la terreur hurlante des soldats, femmes serrant les enfants contre elles, vieillards agrippés aux plus jeunes, le visage labouré par la même supplique bouleversée, non, ne tirez pas, on n'a rien fait, on est innocents, mais le lieutenant avait martelé qu'en abritant ces hommes, leurs frères, leurs pères, leurs fils, leurs maris, en les nourrissant, ils étaient tous coupables de terrorisme et complicité de terrorisme. Le lieutenant avait ordonné d'ouvrir le feu, ça n'avait pas pris plus d'une minute, peut-être deux, le village entier avait succombé, même les ânes et les chèvres, mais pas les chevaux pour lesquels le lieutenant avait une passion. Ils avaient poursuivi vers la zone interdite que l'armée était en train de quadriller et qu'ils évacuaient, village par village, vous ne pouvez plus rester ici, les rebelles sont aussi dangereux pour vous que pour nous, on sait qu'ils viennent, qu'ils vous laissent la vie sauve en échange de votre argent et si vous n'obéissez pas ils vous menacent, vous savez qu'ils ont tué un village entier près de Batna, ils y sont tous passés, les hommes, les femmes, les enfants, ils ont éventré les femmes enceintes, crevé les yeux des enfants, bon on vous fait pas un dessin, c'est assez atroce comme ça, nous, on est là pour vous protéger, on va vous emmener dans des endroits où il fait bon vivre, plus besoin d'aller chercher l'eau au puits, vous aurez l'eau courante, tu sais ce que c'est l'eau courante, tu tournes un robinet, comme ça, un tout petit geste de la main et l'eau coule, tu pourras t'occuper un peu plus de tes enfants, peut-être même te reposer grâce à la modernité qu'on vous apporte, et puis tes enfants, ils iront à l'école, on va leur donner de l'instruction, il a l'air intelligent ton fils, il pourra devenir instituteur, ça se voit, disait Gabriel en arabe à un homme enturbanné qui buvait ses paroles auprès de sa femme aux yeux ourlés de khôl, enfoncés dans les orbites, la peau presque noire. Ça l'étonnait qu'un soldat français aux yeux clairs parle si bien arabe, on aurait cru qu'il était d'ici. Je suis d'ici, lui avait dit Gabriel, comme s'il avait deviné ses pensées, je suis de Constantine, on est du même côté tu vois, on est là pour vous protéger, dis aux autres que le rassemblement est prévu dans deux heures à l'entrée du village, les camions sont déjà là, bien sûr que vous allez y aller en camion, on ne va pas vous faire faire tout ce trajet à pied. Et Gabriel poursuivait sa route vers les autres villages, s'adressant exclusivement aux hommes, il savait que parler aux femmes aurait été une grave erreur et aurait ruiné tous leurs efforts pour évacuer dans le calme la population de la zone interdite, celle où désormais il serait plus facile de combattre l'ennemi, toute personne vivante et extérieure à l'armée française qu'on trouverait là pouvant être abattue sans sommation car considérée comme rebelle et hostile au plan de pacification que la France avait entrepris. C'était ce que leur avait expliqué le capitaine de section, un Bordelais pour lequel Gabriel avait éprouvé une admiration immédiate, peut-être à cause de son âge, il était un peu plus jeune qu'Abraham, de sa façon martiale de regarder ses hommes, d'indiquer qu'il n'avait que des certitudes, jamais de doutes, et de sa maîtrise d'une violence encadrée par ce qu'il considérait être la morale. Gabriel avait senti qu'il contenait en lui-même ce que l'officier attendait, et quand celui-ci avait demandé qui parle arabe dans l'unité, Gabriel avait porté la main droite à son front dans un geste précis et sec pour répondre moi mon capitaine, et au hochement de tête approbateur accompagné des mots, bien, nous aurons besoin de vous, il avait été traversé par une fierté inédite. L'arabe, au début de son service, il en avait honte face aux Français de France qui parlaient, pensait-il, sans accent. Maintenant il se redressait, maîtriser la langue de l'ennemi était un atout, il avait déjà intégré ces mots, la langue de l'ennemi, et il les utilisait en oubliant que c'était la langue de son père, de sa mère, de ses grands-parents, celle dans laquelle il avait grandi, mais il ne voulait plus se rappeler qu'il avait eu une enfance, il avait commencé à vivre là, à l'armée, se sentant homme parmi les hommes, c'est ce qui lui donnait l'assurance d'aborder les filles quand il avait une permission, de les séduire, les toucher, les prendre, masquant son affolement la première fois, mais soulagé aussi de pouvoir enfin s'abandonner aux images indomptables que suscitaient en lui ses sœurs dormant à quelques centimètres, chaque nuit la même torture mêlée au dégoût qui le saisissait quand ses parents se rapprochaient sur leur couche, il voyait leurs ombres collées l'une à l'autre dans le silence écorché par le frottement des draps, fasciné, toujours, et pris d'une angoisse terrible, mouillant son lit ces nuits-là. Mais tout ça c'était fini, Abraham était affaibli, il crachait du sang, ne travaillait plus que trois mois sur douze et lui, Gabriel, avait fait comprendre à son père qu'il servait l'armée française et n'avait de comptes à rendre à personne d'autre, même pas à lui, seulement au capitaine qui leur parlait parfois de l'autre guerre, celle où ils avaient bouté les Allemands hors de France, et un jour Gabriel avait osé lui dire moi, mon oncle a fait le débarquement en Provence et il est mort en Alsace, et le capitaine lui avait répondu avec un sourire, c'est bien, tu es son digne héritier, tu vas tuer autant de fells qu'il a tué de Boches.

En ville, les phrases s'engouffraient comme des dragons noirs dans les ruelles, cognant aux portes et aux persiennes pour siffler, il y a eu un attentat à la poste, au cinéma Royal, au café Mazia, ils ont lancé des grenades, ils ont tiré sur ceux qui s'enfuyaient, il y a des morts, des blessés. Les questions se superposaient, modulées par l'angoisse et l'agressivité. Qui était attablé ? Les hommes étaient-ils déjà sortis de la synagogue ? Oui, ils venaient d'en sortir, les plus pratiquants rentrant directement chez eux retrouver leur famille, les autres s'attardant, passant de la prière à l'anisette sans complexe, Dieu a ordonné de se reposer le samedi, pas de se morfondre, on se repose au café aussi, ou bien on meurt, parce que depuis quatre ans *ils* avaient décidé de tuer, de répandre la terreur, de réclamer soudain ce pays, à eux, pour eux, comme s'il n'appartenait pas à tous ceux qui y était nés et y vivaient, et bien peu parmi les hommes et les femmes qui s'affolaient, contournaient les barrages dressés par l'armée pour monter à l'hôpital, tentaient de comprendre ce qui bruissait autour d'eux, le désir violent de relever la tête, hommes et femmes libres. La plupart ne cherchaient pas à savoir comment l'armée française les châtiait, assassinait en masse, mille yeux pour un œil, mille dents pour une dent, ils ne voulaient pas comprendre, ils ne comprenaient pas ce qu'on leur reprochait subitement, de quoi ils étaient coupables.

Il leur avait fallu des années, non pas pour comprendre, mais pour se décider à partir, dans la panique et l'affolement, ce 22 juin 1961 quand Madeleine, quittant l'hôpital où elle travaillait depuis la mort d'Abraham un an plus tôt, avait emprunté le pont suspendu, après une hésitation, parce que malgré la terreur qu'il lui inspirait, il permettait un raccourci pour rentrer à la maison. Marchant trop lentement à son goût, déjà essoufflée, retenant sa respiration comme pour contenir le vertige, les pieds gonflés de travail et de chaleur lourde, tête baissée, les yeux fixés sur ses souliers, elle avait tout de même parcouru la moitié de la distance qui la séparait de l'autre falaise, et se trouvait à l'endroit où les haubans s'inclinent avec douceur pour effleurer la rambarde. Dans quelques instants elle serait de nouveau sur la terre ferme. Un bruit l'avait alertée, froissement de papier enveloppant le rebond d'un caillou, elle avait tout juste eu le temps de voir un homme s'avancer vers elle, le bras droit curieusement dressé, serrant dans sa main un objet, criant quelque chose qu'elle n'avait pas compris, car tout allait trop vite. L'homme était maintenant à quelques mètres, elle distinguait les sourcils épais, les lèvres fines, les traits déformés par une colère dirigée contre elle et pourtant elle ne se rappelait pas l'avoir déjà vu, et il est vrai qu'elle ne l'avait jamais vu, Karim Ouabedssalam, fils de Ahmed Ouabedssalam, soldat de deuxième classe, 3e D.I.A., 1er R.T.A, blessé au champ d'honneur mais jamais décoré pour avoir libéré la France. Il criait des mots qu'elle ne comprenait toujours pas, je suis devenue sourde, avait-elle pensé, il va me jeter du pont comme un paquet de fruits pourris, non, il voulait la tuer d'abord, c'était un couteau que sa main brandissait, une lame large comme une main d'enfant, brillante comme la plus belle des argenteries, elle ne pouvait lâcher des yeux le muscle tendu sous la peau de son bras, gonflé d'une hargne qui allait la foudroyer. Une brusque envie de faire pipi avait contracté son bas-ventre, elle s'était affolée, je ne vais pas faire pipi dehors, debout sur le pont, et elle avait cru que c'était de honte qu'elle allait mourir. Karim Ouabedssalam s'était figé soudain, frappé par une main invisible, le bras brandissant toujours le couteau mais transformé en statue de sel, ce n'est pas possible, avait songé Madeleine, ce n'est pas possible que mon cri l'ait arrêté, moi-même je ne l'ai pas entendu, il s'est coincé dans ma gorge. Le jeune homme avait jeté un brusque regard en arrière, balancé le couteau par-dessus la rambarde, craché au visage de Madeleine en la frôlant, couru en direction de l'hôpital, comme poursuivi par une meute de loups, mais non, c'étaient des hommes et des femmes, une foule qui envahissait le pont et s'avançait à son tour vers elle, des centaines, des milliers de gens faisant vibrer la longue passerelle sous leurs pas, submergeant Madeleine qui avait porté la main à sa bouche. Leurs visages lui étaient tous familiers, il y avait là sa voisine Marie, madame Attal la propriétaire, Lucette, l'employé de la poste taciturne auquel elle avait accepté de s'unir après des années de refus qui avaient pour nom Jacob, des visages qui surnageaient comme des bouchons de liège sur l'eau d'un fleuve, et Camille, apercevant sa mère la main crispée sur la rambarde, avait écarté les autres vivement pour se rapprocher d'elle, embrasser son visage bouleversé, se méprenant sur la cause de son émoi. Tu as appris la nouvelle, maman, c'est terrible, et aucun son n'avait pu sortir de la bouche de Madeleine, elle regardait sa fille, une interrogation hébétée dans ses yeux couleur miel, tu as entendu la nouvelle, maman, ils ont assassiné Cheikh Raymond, place Négrier, il était en train de faire son marché, quelqu'un a tiré sur lui. Madeleine s'était mise à trembler de la tête aux pieds, la foule les avait dépassées, houle d'hommes et de femmes en habits d'été charriant un murmure incrédule, ils ont tué Cheikh Raymond, ils ont tué Cheikh Raymond. Camille avait soutenu sa mère sur le point de s'évanouir, de l'eau, de l'eau, est-ce que quelqu'un a de l'eau, avait-t-elle crié en agrippant les passants. Une femme avait sorti un pot de lait de son cabas, elle aussi faisait son marché place Négrier au moment où un homme avait tiré une balle dans la nuque de Cheikh Raymond avant de s'enfuir, elle n'avait pas pris la peine de rentrer chez elle et se dirigeait comme les autres vers le cimetière pour l'enterrement, non loin de l'emplacement où Abraham reposait après quatre années d'hôpital, de rémission, de courts séjours à la maison que sa présence désormais calme remplissait d'une douceur poignante. Son ortolan préféré, le maître siffleur, était mort le lendemain, petit corps aux pattes repliées sur son duvet froid que les deux autres oiseaux avaient contemplé sans comprendre, et qui avaient cessé de chanter ce jour-là.

Quelques mois après ces instants sur le pont qui ancreraient définitivement la terreur dans le corps de Madeleine, le 20 novembre 1961, la cage était posée à l'arrière d'une calèche sur les matelas roulés dans les plis desquels Madeleine, Camille et Fanny avaient fourré leurs vêtements. Camille s'était occupée de tout, depuis la mort de son père et l'éloignement de Gabriel le champ était libre, elle avait le cœur serré de quitter sa ville natale, de voir les yeux rougis de Madeleine effrayée par un nouvel arrachement, mais elle ne pouvait empêcher des ondes d'excitation de la parcourir. Là-bas, en France où Rachel était déjà partie avec Isaac et sa famille, une autre vie l'attendait, peut-être quelque chose qui ressemblait plus à l'idée qu'elle se faisait de la vie, un peu plus libre, dégagée des liens familiaux qui l'étranglaient. Elle avait demandé au cocher de passer par le pont Sidi M'cid et il avait hoché la tête, ils lui demandaient tous ça, ceux qui partaient, les dizaines de milliers de juifs de Constantine qui avaient compris que l'assassinat de leur musicien et chanteur adulé par les juifs et les Arabes était plus qu'un avertissement : un signe funeste. Partez, partez, nous avons choisi de rompre le lien qui nous unissait depuis des siècles. Vous continuez à parler notre langue, à enduire vos mains de henné pour les fiançailles de vos enfants, à cuisiner comme nous, mais vous êtes des traîtres, alliés depuis cent ans aux Français, remplis d'orgueil à la pensée de posséder leurs cartes d'identité grises. Voyez, nous sommes capables d'atteindre l'être qui vous est le plus cher et que nous aimions aussi, un chanteur qui nous bouleversait et nous mettait en transe, accompagnait nos mariages et nos douleurs, disait mieux que nous ce que nous ressentions. Alors ils s'étaient résolus à quitter la ville forteresse qui ne pouvait plus les protéger, devenue piège, champ de bataille et de mort, et c'était leur dernier désir, traverser le pont, parcourir une dernière fois la passerelle des vertiges suspendue au-dessus du vide. Ils contemplaient les falaises, le cimetière où ils avaient laissé les leurs, Jacob, Haïm, Abraham et tant d'autres, ils fixaient le Rhumel comme s'ils voulaient l'arracher avec leurs yeux pour l'emporter avec eux, ils pensaient tous à la première fois où ils avaient franchi le pont, fiers et apeurés, aux jours d'hiver où il était ourlé de neige, aux jours d'automne où il se fondait dans la brume, ils n'imaginaient pas alors qu'il y aurait une fin, ils ne savaient pas qu'ils arriveraient au bout une dernière fois, tremblants, et que lui, indifférent à leur départ, rétrécirait derrière eux, et de leur vue, de leur vie, il disparaîtrait.

Mais l'eau continuait à couler sous le pont, et dans les souterrains des mémoires qui allaient briller et s'éteindre une à une de l'autre côté de la Méditerranée, le nom et le souvenir de Jacob émergeaient encore, faisant parfois surface dans la phrase collective qui les enveloppait tous de tristesse et d'amertume, on a laissé là-bas nos morts, puis se repliant dans des strates plus profondes, filet d'eau ténu filtrant sous la roche, au fur et à mesure que le temps ajoutait des heures aux jours et des années au siècle, les forçant à s'acclimater à une nouvelle façon de parler, moins fort et moins vite, à étendre le linge dans les appartements, sur un balcon quand on était chanceux, mais plus sur la terrasse car les immeubles dans lesquels ils vivaient en étaient dépourvus, les forçant à ne pas s'installer dans les cours pour distiller ensemble l'eau de fleur d'oranger, à dompter leur vacarme pendant les fêtes où la famille se réunissait, pour ne pas se faire mal voir des voisins qui, de toute manière, les regardaient de travers, eux, ces gens que l'on disait français mais qui ressemblaient tant à des étrangers, parlaient comme des Arabes et semblaient toujours trop nombreux. Et le nom de Jacob était presque devenu imperceptible après la mort de Rachel en 1969. Ce jour-là, Camille était venue lui rendre visite, et un rare sourire avait éclairé le visage de sa grand-mère qui avait deviné, tu attends un bébé, tu as faim, viens, on va faire des beignets ensemble. Et tandis que la farine venait caresser le saladier d'une pluie fine, à quelques centimètres de la veilleuse à huile allumée chaque jour en souvenir de l'enfant perdu, Rachel, qui tournait en cercles paisibles la cuiller pour éviter les grumeaux, avait peut-être murmuré le prénom de Jacob pour dire une fois encore, avec regret, il aimait les beignets. Et la petite fille qui poussait tranquillement à l'abri dans le ventre maternel avait peut-être entendu, peut-être pas, le prénom prononcé avec amour et triste douceur, les derniers mots d'une vieille femme devant son arrière-petite-fille, pas encore là mais déjà là, et Rachel s'était éteinte le soir même, et la petite fille avait grandi, un prénom inscrit dans le creux du silence initial, qui s'était enroulé comme une boucle soyeuse, se déployant au fur et à mesure qu'elle avançait dans un nouveau siècle en se posant des questions auxquelles nul ne lui apportait de réponse. Et Jacob, ni pendant les combats, ni devant Maryse, ni dans son délire d'agonie dans la chambre du docteur Worms n'aurait pu penser que soixante-huit ans après sa mort, elle contemplerait la photo de quatre soldats posant devant une réplique du *Normandie*, inventerait les noms de trois d'entre eux, Ouabedssalam, Attali, Bonnin, partirait à la recherche de sa tombe à Constantine, de son nom sur une plaque commémorative à Thann, ne trouverait ni l'une ni l'autre mais sentirait sa présence à chaque pas, dans les eaux vives du Rhumel, dans les eaux tranquilles de la Thur où des canards s'ébrouaient après une averse automnale, il ignorait que son nom jaillirait de nouveau, Jacob, Jacob.

DU MÊME AUTEUR

Quand j'étais soldate
L'école des loisirs, 2002

Une bouteille dans la mer de Gaza
L'école des loisirs, 2005

En retard pour la guerre
Éditions de l'Olivier, 2006
repris sous le titre
Ultimatum
« Points », n° P2041

Le Blues de Kippour
Éditions Naïve, 2010

Les Âmes sœurs
Éditions de l'Olivier, 2010
et « Points », n° P2539

Mensonges
Éditions de l'Olivier, 2011

Mariage blanc
Les éditions du Moteur, 2012

RÉALISATION : NORD COMPO À VILLENEUVE-D'ASCQ
IMPRESSION : MAURY IMPRIMEUR À MALESHERBES (45)
DÉPÔT LÉGAL : JANVIER 2016 - N° 128274-2 (208903)
Imprimé en France

Éditions Points

DERNIERS TITRES PARUS

P4213. La rage est mon énergie. Mémoires, *Johnny Rotten*
P4214. Comme si c'était moi, *Philippe Torreton*
P4215. Les Feux, *Raymond Carver*
P4216. La Main de Joseph Castorp, *João Ricardo Pedro*
P4217. Anthologie de poésie haïtienne contemporaine *(sous la direction de James Noël)*
P4218. Les Étourneaux, *Fanny Salmeron*
P4219. Désaccords mineurs, *Joanna Trollope*
P4220. No Hero, *Mark Owen, Kevin Maurer*
P4221. L'Appel du mal, *Lisa Unger*
P4222. La Conjuration florentine, *Gérard Delteil*
P4223. Le Ciel pour mémoire, *Thomas B. Reverdy*
P4224. Les Nuits de Reykjavik, *Arnaldur Indridason*
P4225. L'Inconnu du Grand Canal, *Donna Leon*
P4226. Little Bird, *Craig Johnson*
P4227. Une si jolie petite fille. Les crimes de Mary Bell *Gitta Sereny*
P4228. La Madone de Notre-Dame, *Alexis Ragougneau*
P4229. Midnight Alley, *Miles Corwin*
P4230. La Ville des morts, *Sara Gran*
P4231. Un Chinois ne ment jamais & Diplomatie en kimono *Frédéric Lenormand*
P4232. Le Passager d'Istanbul, *Joseph Kanon*
P4233. Retour à Watersbridge, *James Scott*
P4234. Petits meurtres à l'étouffée, *Noël Balen et Vanessa Barrot*
P4235. La Vérité sur Anna Klein, *Thomas H. Cook*
P4236. Les Rêves de guerre, *François Médéline*
P4237. Lola à l'envers, *Monika Fagerholm*
P4238. Il est minuit, monsieur K, *Patrice Franceschi*
P4239. Un pays pour mourir, *Abdellah Taïa*
P4240. Les Trophées & Poésies complètes *José-Maria de Heredia*

P4241. Abattoir 5, *Kurt Vonnegut*
P4242. Westwood, *Stella Gibbons*
P4243. Hérétiques, *Leonardo Padura*
P4244. Antimanuel de littérature, *François Bégaudeau*
P4245. Les Petits Blancs. Un voyage dans la France d'en bas *Aymeric Patricot*
P4246. Qu'ont-ils fait de nos espoirs ? Faits et gestes de la présidence Hollande, *La rédaction de Mediapart, sous la direction d'Edwy Plenel*
P4247. Georges, si tu savais…, *Maryse Wolinski*
P4248. Métamorphoses, *François Vallejo*
P4249. Au bord du monde, *Brian Hart*
P4250. Grand Chasseur blanc, *Denis Parent*
P4251. Quand nous serons heureux, *Carole Fives*
P4252. Scipion, *Pablo Casacuberta*
P4253. Juliette dans son bain, *Metin Arditi*
P4254. Un yakuza chez le psy, *Hideo Okuda*
P4255. Bienvenue à Big Stone Gap, *Adriana Trigiani*
P4256. Le Brigand bien-aimé, *Eudora Welty*
P4257. La Coupe d'or, *Henry James*
P4258. Au commencement était le verbe... Ensuite vint l'orthographe !, *Bernard Fripiat*
P4259. Billets du Figaro. L'actualité au fil des mots *Étienne de Montéty*
P4260. L'Exception, *Audur Ava Olafsdóttir*
P4261. Menus Souvenirs, *José Saramago*
P4262. L'Ange rouge, *Nedim Gürsel*
P4263. Ce sera ma vie parfaite, *Camille de Villeneuve*
P4264. Le Clan du sorgho rouge, *Mo Yan*
P4265. Bernadette et Jacques, *Candice Nedelec*
P4266. Le rap est la musique préférée des Français *Laurent Bouneau, Fif Tobossi & Tonie Behar*
P4267. Il fait Dieu, *Didier Decoin*
P4268. De la mélancolie, *Romano Guardini*
P4269. L'Ancêtre en Solitude, *Simone et André Schwarz-Bart*
P4270. François parmi les loups, *Marco Politi*
P4271. Cataract City, *Craig Davidson*
P4272. Les coqs cubains chantent à minuit, *Tierno Monénembo*
P4273. L'Inspecteur Ali à Trinity College, *Driss Chraïbi*
P4274. Les Silences de la guerre, *Claire Fourier*
P4275. Louise, *Louise Bachellerie*
P4276. Sans domicile fixe, *Hubert Prolongeau*
P4277. Croquis de voyage, *Joseph Roth*
P4278. Aller voir ailleurs. Dans les pas d'un voyageur aveugle *Jean-Pierre Brouillaud*